그래서 어느 날

그래서 어느 날

앤솔로지

글로써기

"난 어딘가 구석에 앉아 글을 쓸 때 가장 살아있다고 느껴."

온통 글 쓸 생각에 빠져 있던 어느 날 봤던 미국 극작계의 거장 A.R.Gurney의 연극 <러브레터>에서 앤디의 대사입니다. 어쩌면 지난봄에 제 마음속 공간을 가장 많이 차지했던 감정이 아닌가 싶습니다.

20여 년 기자로 살았기 때문에 나는 원래도 글 쓰는 사람이었습니다. 그런데 글로서기에 들어가면서 매일 쓰는 사람이 되었고, 이제 그 글들이 모여 책으로 만들어지고 작가가 되는 숙제를 끝냈습니다. 지나온 삶에 대한 후회나 미래에 대한 두려움이 아닌 현실에 맞닥뜨려 온전한 나를 만나는 시간이었습니다.

하지만 함께 한 이들이 없었으면 아무런 기약도 없이 미뤄졌을 일입니다.

누구보다 생각이 많아 한 줄도 놓치지 않으려 애썼던, 어쩌면 조만간 자기만의 책을 쓸 것 같은 **이지원**, 하고 싶은 말과 쓰고 싶은 일이 많아 쉽게 꺼내지 못했지만, 알고 보니 이야기꾼이었던 **기은범**, 완벽함이 무기여서 늘 마감이 부담이었지만 필요할 때마다 특유의 긍정적인 에너지를 나누어 주었던 유니크한 **지소윤**, 더 많은 것을 담아내고 싶어 고민도 많았지만, 결국 올해의 목표였던 소설 쓰기를 이룬 **김도희**, 잊고 있던 어렸을 때 꿈을 과감하게 끄집어내고 막막함으로 시작해서 뿌듯함으로 완성한 노력파 **류현선**, 마주하는 모든 장면과 바라보는 모든 사람이 글로 되는 천상 예술가 **정원경**, 틈틈이 소설을 써온 덕에 내면의 이야기를 독특한 감성으로 섬세하게 담을 수 있었던 학구파 **레모**, 소설을 쓰면서 악몽을 꿀 정도로 글에 대해 절실했지만 때로는 자기를 위한 시간으로 즐길 줄 알았던 조금은 더 나은 사람 **김경화**, 일기 같은 이야기를 모두가 공감할 수 있는 이야기로 만들었고 앞으로 하게 될 경험과 글로 선한 영향력을 선사하고 싶은 **HO**. 그리고 결국 쓸 수밖에 없게 해주신, 네버엔딩 스토리 **방현희 작가님**.

"함께 한 모든 날에 감사했습니다."
"함께 쓴 모든 글을 사랑했습니다."

삶은 여행입니다. 그래서 가끔 어떤 여행을 하고 있으며 여행의 어느 지점에 있는지 자신의 삶을 돌아보기도 합니다. 언젠가는 끝내야 할 슬픈 여행이지만 목표가 있어 기쁜 오늘, 우리는 어디쯤 서 있는 걸까요.

또한 삶은 선택의 연속입니다. 지금 자신이 하는 여행에서 느낀 생각을 그대로 옮기는 과정을 표현하는 방법으로 우리는 '글'이라는 도구를 선택했습니다. 앞으로도 한편의 글을 세상에 내놓기 위해 멈추지 않을 것이며, 그러면서 조금씩 성숙할 것입니다.

느리고 서툴러 우리의 도전이 조급했을지라도 그 절실함이 이 책을 읽는 누군가에게는 용기가 되기를 바랍니다.

때로는 막막했고 때로는 선명했던 박선순

차례

힘든 일과 싫은 일

기은범

소설

기
은
범

사람이든 물건이든 관리하지 못하면서도 버리지 못한다.
문득 서로 원하지 않으면서 쥐고 있는 게 많다는 걸 느꼈다.
정말 원하고 필요한 걸로 내 주변을 채우고 싶다.
이번 글쓰기도 그 일환이다.
배우면 능숙해지고 반복하면 익숙해진다고 생각한다.
이야기를 쓰는 것도 유해한 관계를 끊거나 다시 맞추는 것도 아직 낯설고 어려
워 배우는 중이다.

힘든 일과 싫은 일

일주일 뒤면 승선일이다. 일하러 가는 걸 누가 좋아하겠냐마는 경록에게 이번 승선은 유독 긴장이 된다. 좁은 곳에서 지내다 보니 마음도 좁아진 탓인지 지나간 일을 보내지 못해 속이 거북했다.

예전이라면 친구를 만나 놀며 속을 풀었겠지만 경록은 혼자 할 수 있는 해소 방법을 찾고 싶었다. 이제는 혼자 스트레스를 관리해야 했으므로.

며칠 전 짐을 꾸리다 꺼낸 프랑스 자수가 떠올랐다. 배에서 내린 이후로 일부러 꺼내지 않은 취미. 이제는 완성할 때가 되었다. 내친김에 카페에 가서 하기로 경록은 결정했다. 동성로에는 갈만한 곳이 꽤 있었다.

기분을 다듬으려 수를 놓는 것도, 사람 많은 카페에서 눈에 띄는 취미를 드러내는 것도 작년의 경록에게는 낯선 일이었다. 하지만 의외로 사람들은 주변에 관심이 없지 않은가. 아니, 주변에 관심이 있다 해도 경록은 굳이 바깥에 나가 자수를 놓았을 것이다. 작년 겨울 이후로 경록은 자수를 시작했고 수를 놓은 것과 비슷한 시기에 타인의 시선을 받는 일을 연습해야겠다고 결정했다. 경록은 시선을 견디는 법을 배워야 했다.

역시 주변 사람들은 경록에게 관심이 없고 경록 역시 주변을 배경 삼아 자기의 일을 이어갔다. 그래서였을까, 유독 익숙한 단어가 귀에 꽂히기까지 옆자리 남녀의 대화 내용을 몰랐다.

얼핏 듣기에 해양 이야기가 나왔지만 배에서 사용하는 용어와 몇몇 익숙한 회사의 이름을 듣고서야 경록은 옆자리 학생이 자신의 동종업계 후배임을 알았다. 해운회사에서 실습을 마치고 방학을 보내는 듯하다.

"아니 나랑 같이 실습한 다솜이는 맨날 다솜아 다솜아 하고 불리는데 나는 이름을 불린 적이 없는 거야. 그게 너무 억울한 거 있지."

여자의 입에서 배에서는 이름을 들을 일이 없었다는 이야기가 들렸다. 경록 역시 이름이 아닌 직급으로만 부르고 불리는 게 처음에는 낯설었다.

이름 없는 생활이 속상하긴 했지만, 항해사들이 실습 항해사인 자신을 실항사나 혹은 짧게 '실'이라고 부르는 만큼 자신 역시 선장을 선장님으로만, 삼등 항해사나 기관사를 삼항사님, 삼기사님, 하고만 부르니 어찌 보면 공평하다고 경록은 친구들과 농담처럼 이야기했다. 비록 한쪽은 이름을 부르지 않는 것이고 한쪽은 이름을 부르지 못하는 것일지라도.

'선장'이라는 단어를 생각하고 경록은 자연스럽게 작년 겨울을 생각했다. 작년 겨울을 함께한 최수림 선장은 경록이 가장 최근에 동승한 선장이기도 했지만 다른 이유로도 기억할 수밖에 없는 사람이었다.

지금 생각하면 수림을 만난 일이 경록에게 그렇게 나쁜 일은 아니었지만 수림은 아직 경록에게 나쁜 사람이었고 경록은 여전히 수림에게 유감이었다.

수림은 전형적인 장형 인간이었다. 정확히 말하면 경록에게는 불편한 장형 인간이었다. 수림은 식사 자리에서 논쟁을 벌이고는 늘 자신이 맞아야 직성이 풀리는 사람이었다. 생선 살을 계란 물에 적셔 기름에 지진 요리가 전인지 튀김인지로 한 시간 동안 싸우는 날에는 경록은 익숙한 피로함을 느꼈다.

수림은 같이 모여 노는 게 중요했고 선장으로서의 권위를 자주 느끼고 싶어 하는 사람이었다. 그 점이 경록과 맞지 않았다.

경록에게 술자리는 싫지는 않지만 썩 좋지도 않았고 종종 불편할 때도 있었다. 회식에 참여하는 사람마다 수직적이지 않은 사이가 없었고 경록은 수직적인 관계에서 부담이나 불편함을 느낀 탓이다. 선박에서는 수직성이 필요하다는 걸 알지만 수직성에서 종종 발생하는 권위의식이나 강압이 경록은 불편했다. 그 불편함을 적당히 풀기에도, 괜찮은 척 감추기에도 경록은 아직은 어렸다.

경록은 이등항해사라는 자기 일이 괜찮다고 생각했다. 자정부터 네 시간, 또 정오부터 네 시간씩 여덟 시간을 선교에서 당직을 서고 남은 일을 해도 충분한 시간이 있었다. 새벽 근무가 좋진 않지만 나름 규칙적으로 생활할 수 있었다. 그럼에도 다른 직업을 찾는 이유에는 이런 관계 문제도 있었다.

물론 그런 차이가 당장 큰 문제는 되지 않았다. 적당히 맞추고 적당히 참으면서 짧은 몇 달을 보낼 수 있었다. 경록에게는 불편한 시간을 견디게 하는 몇몇 요소가 있었다.

이제는 아니지만 매주 주고받던 편지와 지금 하는 자수도 당시에는 경록에게 많은 도움을 줬다.

경록은 책상과 무릎 사이에 있던 자수를 책상 위에 올려두고 돌려봤다. 석 달 전, 하선을 6주 남기고 시작한 경록의 첫 자수는 오늘에 이르러 거의 완성되어 가고 있었다.

여자가 말을 마치고 이제 남자의 지인 이야기로 넘어갔다. 한 학생이 실습 중에 다른 직원과 싸웠다고 했다. 경록도 이 얘기는 건너 건너 들었다. 문제를 겪는 실습생은 자주 나오지만 대체로 조용히 그만두는 편이었기에 누군가 다퉜다는 소식은 가끔 화제가 됐고 소문에 둔한 경록 역시 어딘가의 단톡방에서 말을 전해 들었다.

　말하기로는 누군가가 실습 기관사의 가정사를 얘기했고 이에 화가 난 실습생과 싸움이 났다고 했다.

　옆자리 남자는 그날, 그 자리에 있던 실습 항해사와 지난 학기 룸메이트라고 했다. 룸메이트는 이야기를 듣기에 적당한 위치였다. 마침 눈을 쉴 겸 자수를 멈춘 경록은 창문을 바라보며 옆에서 나누는 대화를 가만 엿들었다.

　이런 자리에서 크게 말하기에는 조금 내밀한 이야기지만 서로를 배경처럼 바라보는 카페라는 공간 때문인지 해운회사와 멀리 떨어진 대구라는 지역 때문인지 경록은 남자의 목소리를 힘들이지 않고 들을 수 있었다.

　실습 기관사는 어머니와 살았다. 아버지와 같이 살지 않은 이유가 사별인지, 이혼인지는 모른다고 했다. 모르는 게 당연했다. 불편해질 수 있는 사실을 일터에서 굳이 떠드는 사람은 거의 없으니까.

　다만 실습 지원서에는 가족관계를 적는 칸이 있었고 인사팀은

지원서의 내용을 잘 정리해 전산으로 남겼다.

그리고 배에 있는 일부 상급자들에게는 선원 인적 사항에 접근할 수 있는 권한이 있었다.

이야기는 길었지만, 자연스럽게 일기사도 실기사의 가정상황을 알게 되었다.

어느 날 일기사와 실기사 사이 마찰이 있던 날 일기사는 아버지 없이 어머니의 사랑을 받고 편하게 자라서 버릇이 없다는 말을 했다고 했다. 그 말을 들은 실기사도 화가 나서 다툼이 있었고, 회사에 연락해서 양쪽이 배에서 내리는 걸로 끝났다는 이야기였다.

그 회사에 취업은 힘들겠지, 하며 옆자리 남자는 말을 마쳤다.

그 회사에 취업이 될지 안 될지는 몰라도 아마 다른 회사를 가는 편이 나으리라고 경록은 생각했다. 타인의 가정사를 쉽게 입 밖에 내다니, 실기사는 상대방을 최악이라고 생각했을 것이다. 서로 최악이었던 사람과 마주할 위험은 줄이는 게 좋다. 새로운 집단에 적응해야 하는 신입 사원이라면 더욱 그랬다.

좁고 수직적인 공간에서는 무례한 사람이 위협적으로 다가온다. 그리고 그런 관계를 해결하기도 어렵다. 작년의 경록과 철호도 그랬다.

이등 항해사인 경록과 일등 기관사인 철호는 같은 학교 동기였다. 학창시절 경록은 철호를 몰랐지만 철호는 경록을 알았다. 경록이 학창 시절에 유독 눈에 띄었던 것은 아니다. 오히려 철호가 너무 발이 넓었던 까닭에 경록의 주변 지인과 친했고, 자기 친구를 보러 오다가 경록과 지나친 몇몇 순간을 기억하고 있었다.

철호가 일을 마치는 오후 다섯 시에는 경록도 쉬는 시간이었기에 저녁을 먹기 전 둘은 자주 맥주를 마시며 얘기를 나눴다. 둘의 성격은 거의 반대였지만 이야기는 잘 통했다. 특히 경록과 철호가 의견이 맞는 부분이 있었다. 선장에 관한 부분이었다. 철호 역시 선장 수림이 지나치게 사생활에 관심을 보이고 간섭하는 것이 불편해했다.

가끔 당직 시간 내내 불편한 대화를 하다 퇴근하는 날이면 철호가 부럽기도 했다. 기관실은 덥고 힘든 곳이지만 일하면서 상대방이 십 년 전에 만났다는 이름 모를 누군가의 험담을 들을 일은 없을 테니까.

자기는 아니라고 하지만 수림은 뒤끝이 심한 사람이라는 철호의 말에 경록도 공감할 수밖에 없었다.

*

외국인을 제외하면 열 명이 될까 말까 한 공간에서 취향이 맞는 사람을 찾기가 어려운 경록은 펜팔을 시작했다.

얼굴도 목소리도 모르는 편지의 상대방은 한결이라고 했다.

[안녕하세요? 저는 한국에 사는 이한결이라고 해요. 영화를 좋아하는 것 같은데 좋아하는 영화 있어요? 한국어는 언제부터 배운 거예요? 답장 기다릴게요.]

자신을 외국인이라고 생각해 쓴 한결의 편지로 시작한 대화는 답을 주고받으며 점점 길어졌다.

경록은 한결의 편지를 좋아했다. 어쩌면 한결에게 글을 쓰는 자신을 더 좋아했을 수도 있었다. 편지를 쓸 때는 되고 싶은 모습이 될 수 있었다. 오늘 작업하면서 생긴 문제나 지루한 당직, 바쁜 와중에 밀리는 서류에 신경 쓸 필요가 없으니까. 반대로 일상에서 이름 없이 일어나는 일들을 해석하는 시간이 편지를 쓰는 시간이었다.

둘의 관심사는 조금은 달랐지만 둘 다 서로 좋아하는 걸 나누는 데 거리낌은 없었다.

일상적인 이야기, 앞뒤 사정을 알아야 공감할 수 있는 이야기는 철호와 나누고 마음속 생각은 한결과 나누는 게 그 배에서 경록의 소통 방식이었다.

*

[안녕하세요. 여기는 장마가 끝났고 너무 더워요. 이런 날에는 밖에 나가고 싶지 않네요. 저번에 말했던 디자인 강의를 듣는데 제

가 만든 디자인이 뽑혀서 피드백을 받았어요. 게으른 디자인이라고 하시더라고요. 저는 할 수 있는 만큼 했다고 생각했는데 그게 아니었나 봐요.

권위적인 사람은 저도 불편해요. 다른 사람의 시간을 존중하지 않는 사람도 그렇고요. 내 영역을 존중하지 않는 사람을 대하는 법은 아직 잘 모르겠어요.

어느 분이 저를 보고 개울물 같다고 말했어요. 문제가 있으면 뚫고 가지 않고 이리저리 피해서 다닌다나요? 그래서 필요할 때 할 말을 못 하는 걸까요? 하지만 마음에 있는 말을 다 뱉어버리는 게 꼭 좋지도 않은 걸요. 답이 있는 문제는 아니잖아요.]

한결의 편지가 도착했다. 저번 편지에 수림과 있던 이야기를 적었더니 자신도 불편하다며 답했다. 경록도 할 말을 못 한다는 점에서 한결과 비슷했다. 걱정이 많아 자기 의견을 말하지 못할 때가 잦았다.

해야 할 것을 안 하면 아쉽고 찜찜하다. 경록은 하지 않은 말 때문에 자주 후회했다. 반대로 할 수 있는 일을 전부 하면 어쨌든 마음은 편해질 것이다. 며칠 전에 있던 일도 비슷했다.

그날은 삼십 분째 통신 장비에서 삐이 하고 시끄러운 소리가 들렸다. 저번 주 점검 때도 한번 이러더니 그날 테스트 이후로는 계속 알람이 떠 있었다.

안 그래도 수요일이라 회식 준비를 해야 하는데 갑자기 일이 더해져 짜증을 느꼈다. 경록은 잘 작동하던 물건이 손댄 뒤 망가지는 이런 상황이 싫었다. 만지기 전에는 어떻게든 작동했는데 손댄 후에 나빠지는 게 싫었다. 필요한 물건이지만 자주 쓰지는 않아서일까, 차라리 만지지 않았다면 괜찮았을까 하는 생각이 들었다.

매뉴얼을 봐도 자신은 더 해볼 수 있는 게 없어 선장에게 연락하니 곧 선장이 올라왔고, 조금 뒤에는 기관실에서 사람이 올라왔다. 점검을 위해 전원을 잠깐 내려도 되냐는 말에 그렇다며 전원을 내리고 십 분이나 지났을까, 이제는 아예 켜지지도 않았다. 문제가 있어도 유지는 되던 것이 손댄 뒤 아주 망가져 버리는 이런 상황은 최악이었다. 경록이 심난해 하는 중에도 주변은 담담했다. 이리저리 열었다 닫았다 하며 점검하더니 오래 걸리지 않아 결론을 냈다.

"파워가 나간 것 같은데? 이건 배에서 해결 못해. 수리신청서 쓰자. 여기선 할 수 있는 게 없다" 하며 회사에 보고할 내용을 작성했다.

할 수 있는 만큼 했다는 말은 참 편리하다. 경험이 쌓이면 경록도 배에서 해결할 수 있는 일과 그렇지 않은 일을 구분할 수 있을 것이다. 하지만 관계에서 할 수 있는 일은 더 모호하다. 나와 상대방이 원하는 게 서로 다를 때 어떻게 해야 할까? 내 경계를 넘어오려는 상대를 전부 받아주면 끝이 없고 칼같이 거부하기에는 너무 삭막하게 느껴졌다. 여기도 답이 있어서 익숙해지면 곧 쉽게 구분할 수 있는지 아니면 정해진 답이 없는지도 몰랐다. 모르는 선택들 사이에서 경록은 자주 머뭇거렸다.

*

배는 구성원이 자주 바뀐다. 이번에는 일등항해사가 교대됐다. 새로 승선한 일항사 민하는 선장과 친해 보였다. 민하는 게임기와 게임 몇 가지를 들고 왔다.

민하가 온 뒤로 회식이 더 잦아지고 회식을 하지 않는 날에는 모여서 게임을 했다. 한 팀에 다섯 명까지 참여할 수 있는 게임은 실습생을 포함한 아홉 명이 동시에 할 수 있었다. 처음에는 게임을 해본 적 있는 민하와 수림, 철호만 정상적으로 승부가 됐지만 한 달 정도 지나 수준이 비슷해지자 문제가 생겼다. 수림은 자신이 지면 게임을 끝내지 않았다. 그렇다고 대충 하면 일부러 지냐며 다그치기 일쑤였다. 자연스럽게 일정은 늘어졌다.

철호도 경록과 수림을 두고 얘기할 때면 잦은 회식에 투덜거렸다. 우리가 일하러 왔지, 놀러 왔냐는 것이다. 게임만 하는 날에는 경록이 당직을 시작하는 자정 전후로, 게임과 회식을 같이 하는 날에는 종종 경록이 당직을 마치는 새벽 네 시까지도 모인 후 일을 이어가는 건 확실히 피로한 일이었다. 일이 없는 주말이어도 지나치게 반복되는 모임을 좋아하는 사람은 별로 없었다.

처음으로 기관실 관리를 맡은 철호는 이제 자신이 조율해야 한다고 느낀 모양이다. 몇 번 방을 돌아다니며 의사를 물어본 철호는 한 달에 두세 번 정도는 수림을 말리고 게임을 미뤘다.

요구를 수용하는 데 익숙한 경록은 조율이 가능하다고 기대하지 않았기에 갑자기 생긴 휴식이 선물 같았다. 하지만 수림은 자기 계획이 바뀌는 게 싫었던 모양이다.

어느 날 술에 불콰하게 취한 수림이 철호를 앉히더니 따졌다.

"네가 애들을 모아서 선동하니까 애들이 모이길 싫어하잖아, 네가 나서서 애들을 포용해야지 왜 불만을 만들고 있어, 어? 네가 그러면 가만히 있는 다른 사람들은 뭐가 되겠어."

처음에는 웃으면서 그렇지 않다고, 술이나 마시자고 이야기하던 철호의 목소리는 수림의 비난이 계속되자 차분히 가라앉았다가 이내 높아지기 시작했다.

너처럼 착한 척하는 애들이 제일 싫다는 말에서 가정교육을 어떻게 받았냐는 말로 넘어갈 때쯤 철호는 자리를 떠났다.

다음날이 되면 술자리에서 있던 일은 잊어버린 듯 지내는 수림이 그날 일을 의식한다고, 언젠가 철호의 말처럼 '뒤끝'이 길다고 경록은 느꼈다. 식사 자리에서 자주 철호를 노린 듯한 말을 하는 게 악의일 수도, 우연일 수도 있겠지만 우연이라 해도 경록은 수림에게 실망했다.

경록은 이제 수림에게 큰 기대를 하지 않기로 했다. 밑에서 일하면서 수림을 피할 순 없겠지만 업무적인 관계 이상으로는 수림을 대하지 않기로 했다

수림과 다툰 후 며칠간 철호는 경록을 찾지 않았다. 마침 바쁜 시기여서 만나지 않는 시간이 길어졌다. 예전부터 경록은 일부러는 철호를 잘 찾지 않았기에 어느 순간부터 둘은 모이는 일이 드물어졌다.

일터에서 개인적인 관계를 기대하지 않는 경록이었지만 철호랑은 자주 이야기를 나눈 만큼 빈자리가 더 크게 느껴졌다.

배에서 나누는 대화가 준 만큼 한결과는 더 많이 이야기를 나누려 했다. 그럼에도 남은 시간이 허전하게 느껴져 할 일을 찾았다.

그 때 한결이 얘기한 여러 가지 취미가 생각났다. 혼자서도 하려면 자수가 괜찮을 것 같았다. 꾸준히 하는 건 자신 있었다. 며칠 뒤 받은 책을 보며 도구로 실을 꿰어보았다. 역시 처음은 어렵지만 하다 보면 금방 익숙해질 수 있겠다. 빈 공간 가운데 조금씩 새겨

지는 선도 마음에 들었다.

철호와 대화가 줄면서 오후 일을 마치고 저녁 사이 한 시간 반이 비었다. 편하게 대화할 사람이 없어 한결에게 보낼 편지를 한번 더 쓰기도 하고 그러다 수를 놓기도 했지만 여전히 시간이 남았다. 시간이 남는다는 느낌을 요즘에는 자주 느꼈다.

*

몇 주가 흐르고 나니 여러 일이 있어도 주위 상황은 그대로였다. 수림의 태도나 잦은 모임도 그대로였고 경록은 원하지 않아도 여전히 수림은 경록에게 말을 건넸다.

개인적으로 대하지 않겠다고 다짐했지만 먼저 말을 걸지 않을 뿐 주도적으로 대화를 끊지는 않았다. 반복해서 거절하기가 익숙하지 않았기도 하고 어쨌든 수림은 경록의 선장이었다.

하나 달라진 게 있다면 이제 한결과도 편지를 주고받지 않게 됐다는 점이다. 두 번의 연락에도 답이 오지 않은 지 한 달 반이 지나고 나서 경록은 한결이 떠났다는 사실을 인정했다. 관계는 갑자기 끊어져 버리기도 한다.

자연스럽게 연락이 드물어지면서 흐려지다 사라진 인연은 많았지만 대판 싸우고 헤어지거나 지금처럼 갑자기 관계가 끊긴 적은 없었다. 사라진 사람의 흔적에 안전하다 생각해 경계 없이 열어

둔 마음 한 조각이 허전해지는 감각을 느꼈다.

거의 완성했던 자수도 캐리어 안쪽에 넣어두기로 했다. 자수를 보면 한결이 생각나고 남아있는 빈 공간이 괜히 허전해 보여 더 이상 보고 싶지 않았다.

이제 경록은 할 일이 더 줄었지만 남는 시간에는 잠을 잤다. 요즘 들어 잠이 부족했던 경록은 기회만 되면 눕곤 했다.

새로 승선한 민하는 새벽 네 시 당직 교대에 자주 늦었다. 어떤 날에는 아침까지 오지 않기도 했다. 수림은 일곱 시에 선교에 올라와 혼자 근무 중인 경록을 몇 번 봤지만 별 말은 없었다.

경록은 수면 관리를 중요하게 여겼고 저번 배에서는 늘 네 시 반에서 다섯 시 사이에 잠들었다. 하지만 지금은 그러지 못했다. 교대가 늦어지기도 했지만, 방에 들어와서도 바로 잠들지 않았다. 하루에 마음대로 되는 시간이 별로 없어서일까 이렇게 흘러가는 하루가 아까워 잠들기 전에 뭐라도 해야 할 것 같았다.

그래도 딱히 방에서 할 일은 없었다. 책상에 앉아 노트북을 켜고 이미 본 동영상 수어 개를 열었다 닫았다 하니 다섯 시 반. 다시 자리에 누워 오래된 사진첩이며 카톡 따위를 돌아보다 인스타그램을 돌아보면 여섯 시가 넘었다. 요즘은 늘 이런 식이다. 이러다 밝아지는 창문을 볼 때면 내가 뭐 하는 건가 싶어서 화면을 뒤집고 눈을 감았다.

잠들며 생각해 보면 일적인 이야기 외에 별로 소통한 기억이 없었다. 한결도 바쁜지 몇 주째 답장이 오지 않는다. 내일은 간만에 철호랑, 아니면 누구라도 같이 모여 얘기 좀 해야지 생각하곤 했지만 시간이 맞지 않다거나, 일이 밀렸다거나, 피곤하다는 이유로 다시 혼자 시간을 보냈다. 오랜만에 조금 외롭다고 생각했다.

*

하선을 앞두고 한창 바쁜 시기였다. 새벽에 일하다 아침에 출항하고 오후 동안 당직을 선 뒤에는 몰려있는 서류를 처리해야 했다. 원래라면 잠들어 있을 아침 열 시에 방에서 인수인계서를 작성하던 경록에게 전화가 왔다. 수림이 선교에서 불렀다.

"이항사, 여기 연료유 소모량 맞는 거야? 값이 없는데? 이쪽에 탭 하나는 작성이 안 되어있고."

"거기는 저 승선할 때부터 계속 안 적어서 저도 안 적었습니다. 연료량도 기관실에 확인했는데 여기는 항해 중에 원래 안 나오는 게 맞다고 하고요."

은은한 피로를 느끼며 경록이 답했다. 수림이랑 같이 지내면서 세 번을 똑같은 방식으로 보냈는데 왜 하필 지금 물어보는지 몰랐다.

"앞에 사람이 안 해서 안 한다는 게 이유가 되냐, 하다못해 물어보고 하던지."

눈살을 찌푸린 수림을 보니 순간 피로에 절은 머리에 격정이 핑하고 돌았다. 그걸 왜 이제야 말하냐며 강하게 쏘아붙일 때까지도 당연히 화를 내야 하는 듯 느껴졌다. 몇 초나 지났을까, 가슴이 급하게 뛰고 머리가 서늘해졌다. 절제 없이 뱉은 말은 참 빨리도 후회로 변했다. 방금은 자신이 목소리를 높일 상황은 아니었다.

수림에게 목소리를 높였다는 사실이 후회되진 않았다. 다만 화를 낸다면 더 화낼 만한 일에 내고 싶었다. 철호처럼 과한 행동을 말리거나 민하의 근무 태만을 묵인하는 점을 지적하면서 싸운다면 해야 할 일을 했다고 할 수 있을 것이다.

그 이후 대화는 잘 기억나지 않았다. 수림이 무어라 말했지만 좀전의 행동에 후회하느라 경록은 집중하지 못했다.

선장과 부딪히고 며칠 동안 불편했지만 다행히 휴가를 앞두고 있었고 며칠 뒤 경록은 하선했다. 마지막에 나쁘게 마무리한 기억에 경록은 캐리어를 대충 정리한 뒤 이제 승선을 앞두고 짐을 다시 꾸릴 때까지 꺼내 보지 않았다. 그렇게 미루던 자수를 이제 마무리하게 됐다.

한결이 사라지고 한동안 한결에게 받은 걸 보기 불편했지만 이제는 자수를 봐도 딱히 불편하지 않았다. 한동안 피했던 자수가 완성된 모습은 생각보다 괜찮았다.

갑자기 사라진 한결은 경록에게 나쁜 결말을 줬지만 그 흔적이 꼭 나쁘지만은 않을 수 있다고 경록은 생각했다. 갑자기 끊어졌어도 한결은 작년의 경록에게 도움이 됐다. 결말이 전부는 아니었다. 나쁜 결말이 무서워서 열심히 다툼을 피하던 시간과 결국 부딪혔던 과거가 생각났다.

갑자기 사라진 한결이나 결국 부딪힌 수림을 생각하면 이런 기억 한 둘 정도 늘어나도 괜찮을 것 같았다.

손가락 화석

김경화

소설

김경화

brunch.co.kr/@momotamin

그때의 나는 무언가를 끊임없이 그리워하는 상태였다. 아득한 어린 시절을, 지나간 누군가를, 아직 만나지 못한 것 같은 인연을, 도쿄에 있는 베스티를, 결국 닮은 고양이를 찾아 나서게 했던 옛 애인의 고양이 두부를, 매일 걷던 브리즈번의 어느 골목을, 비 내리던 여름의 불국사를, 그날의 냄새를, 우리가 나눴던 이야기를. 마치 그리워하기 위해 태어난 것처럼 말이다.

아무래도 이 그리움은 생이 지속되는 한 대상을 바꾸어 가며 이어질 모양이다. 오늘이 즐겁고 내일이 행복하더라도 그리움의 필연적 대상은 사라지지 않을 것이므로. 지금을 그리워하게 될 언젠가를 위해, 매일의 편린들을 쓰고 또 쓴다.

손가락 화석

"좋아하는 사람이 생겼어."

베란다에 쪼그려 앉은 이연의 귀에 낯선 문장이 나지막이 꽂혔다. 오후 세 시의 볕이 거실 깊숙이 드리운 토요일이었다. 농도 짙은 봄볕은 황토색 바닥을 곧게 가로질러 구석에 세워진 통기타를 노랗게 물들였다. 한동안 황사로 창문을 열지 못했던 터라 이연은 오랜만에 맞는 맑은 낮이 반가웠다. 볕 좋은 김에 건조대 두 개를 모두 펼쳐 수건이며 옷가지를 바싹 말릴 참이었다.

양쪽 베란다의 창을 활짝 열고 세탁기 옆 바구니로 눈을 돌렸다. 주중에 쌓인 두 사람분의 빨래는 양이 꽤 많았다. 제대로 분류되어 있지 않은 빨랫거리를 헤집자 아무렇게나 뒤집어 벗어 둔 양말이 몇 뭉치 나왔다. 후- 들릴 듯 말 듯 한숨을 내쉰 이연은 그중 하나를 집어 올렸다. 여느 때와 다름없는 그의 목소리를 들은 것은 세 번째 뭉치를 뒤집어 펴고 있을 때였다.

"응?"

이연은 반쯤 뒤집은 양말을 손에 쥔 채 거실 소파에 앉아 있는 그를 돌아봤다. 그는 조립 중인 장난감에서 시선을 떼지 않고 낮게, 그러나 또렷이 같은 말을 반복했다.

"좋아하는 사람이 생겼어."

망설이는 기색은 없었다. 뜬금없는 말을 뱉는 그의 목소리는 마치 사고 싶은 운동화가 생겼다고 말하듯 건조하고 담백했다. 그런 단호함에, 비현실적이어야 할 상황이 지극히 현실적으로 느껴졌다. 이연이 물었다.

"그럼 우린, 헤어져?"

"…그렇게 정리하는 걸로 하자."

각도를 튼 봄볕이 두 사람의 머리 위로 노랗게 부서졌다. 언제나처럼 평온하던 주말 오후, 이연과 그는 헤어지기로 했다.

*

그와 이연은 대학에서 만났다. 같은 과 선후배 사이였지만 재학 중에는 별다른 접점이 없었다. 외향적인 이연이 사람들과 어울리는 동안 말수 적고 내성적인 그는 혼자만의 시간에 집중했다. 한 학번 위라 먼저 사회생활을 시작한 이연이 학교를 찾았던 날 아직

학생이었던 그와 우연히 재회했다. 상대의 다른 면에 끌린 둘은 무리에서 몰래 빠져나왔고, 곧 연인이 되었다. 그와의 과묵한 관계는 도돌이표 같은 연애 놀이에 염증을 느끼던 이연에게 알 수 없는 안정감과 편안함을 주었다. 짧은 연애 끝에 결혼을 한 것은 어쩌면 물 흐르듯 자연스러운 수순이었다.

이연은 결혼 후 서로가 크게 어긋나 있다고 느꼈다. 서로를 매료시켰던 다른 면은 금세 좁힐 수 없는 차이로 드러났다. 그 차이는 현관에 신발을 갈지자로 벗어 두는 것과 신고 나갈 방향으로 정리해 두는 것처럼 별일 아닌 듯 보였지만 실상은 첨예했다. 의견 차이가 생기면 이연은 말다툼으로 불거지더라도 대화로 중립점을 찾아보고 싶었다. 하지만 그는 입을 닫고 자기만의 방으로 들어갔다. 물리적으로도, 정신적으로도. 꼭 둘 사이의 문제가 아니어도 수틀리면 침묵했다. 오 년 남짓의 결혼 생활 중 두 사람이 제대로 다투어 본 횟수는 세 번도 채 되지 않았다.

언젠가는 그와 헤어질 수도 있겠다고, 이연은 그렇게 생각했다.

*

이혼은 결혼이 그랬던 것처럼 지극히 당연한 일인 듯 진행됐다. 절차는 생각보다 간단했다. 서류 접수 후 한 달여의 숙려 기간이 끝나고 다시 만난 법원에서 이연과 그는 정말 남이 되었다. 문을 나서기 전, 그가 오른손을 내밀며 굳게 다물고 있던 입을 뗐다.

"행복해져."

"…그래 너도."

가볍게 맞닿았던 오른손들이 떨어지기까지 두 사람의 시선은 서로의 왼손 약지에 닿아 있었다. 오 년의 자국이 옅게 남은, 이제는 비어 있는 약지들. 이연은 그와 악수를 하는 둥 마는 둥 빠른 걸음으로 법원을 빠져나와 뛰다시피 건널목을 지났다. 잠시 서서 숨을 고르는 이연의 머리 위로 말간 볕이 내려앉았다.

집으로 돌아온 이연은 베란다로 가 창부터 활짝 열었다. 열린 창으로 아카시아 꽃향기가 실려 들어왔다. 그와 헤어지기로 했던 토요일 오후처럼 묵은 것들을 털어 내기에 딱 좋은 날씨였다. 이연은 작은방에서 잡동사니 보관용으로 써 온 붙박이장을 열었다. 테트리스처럼 정교하게 쌓아 올렸던 상자들은 그의 물건이 빠진 흔적과 함께 흐트러져 있었다. 이연은 위에서부터 상자를 하나씩 꺼내어 바닥에 내려놓기 시작했다. 같은 동작을 반복하던 이연의 발끝으로 작은 상자 하나가 툭 떨어진 것은 한쪽 벽면의 상자들을 모두 내리고 기역자로 꺾인 다른 벽면을 향해 손을 뻗었을 때였다.

"앗!"

이연은 외마디 비명을 질렀다. 발끝에 부딪히면서 살짝 열린 상자 틈으로 손가락 같은 것이 비죽 나와 있었던 것이다. 핏기 없이 창백하게 질린 그 물체는 상자의 짙은 붉은색과 대비되어 하얗다 못해 푸른빛까지 도는 듯 보였다. 이연은 크게 심호흡하고 끝부분을 가만가만 집어 올렸다. 완전히 모습을 드러낸 그것은 왼손 약지를 석고로 본뜬 손가락 모형이었다. 손톱의 모양, 마디와 주름 하나까지 섬세하게 표현된 석고 손가락은 섬뜩했다. 차가운 석고의 감촉 때문인지 실제 사람의 몸에서 잘려 나와 딱딱하게 굳은 그것을 잡고 있다면 이런 기분일까 하는 생각마저 들었다.

이연은 반지 자국이 남은 자신의 왼손 약지에 석고 손가락을 대어 보며 행복해지라던 그의 마지막 말을 곱씹었다. 동시에, 집으로 온 붉은 상자를 처음 열어 보았던 때를 상기했다. 그 기억은 십오 년 전 어느 날로 이연을 데려다 놓았다. 이연은 손가락의 주인공을 떠올렸다. 록이었다.

*

이연이 준을 따라 들어간 곳은 신림의 허름한 뒷골목에 있었다. 가게 안은 기묘하게 붉고 침침해 아직 대낮인데 거기만 밤이었다. 자잘한 꽃무늬 벽지 위로 더덕더덕 붙은 바랜 신문지와 그 벽을 뒤덮은 붉은 휘장이 낮은 조도를 만나 자아내는 분위기가 홍콩 어딘가에 있을 법한 선술집 같았다. 이연의 머릿속에 화양연화가 스쳤다. 앞서 걷던 준이 붉게 너울대는 천을 들추자 먼저 와 앉아 있던 이의 시선이 이연을 향했다. 크고 동그란 뿔테 너머의 호기심 가득한 반달눈은 이연을 흡사 처음 보는 동물처럼 신기하게 응시했다. 반달눈의 얼굴은 이미 술기운이 오른 듯 발갛게 상기되어 있었다. 준이 이연을 안쪽으로 앉히며 반달눈을 향해 말했다.

"인사해, 이쪽은 내 여자친구."

이것이 록과 이연의 처음이었다.

스물셋의 이연은 어학연수를 마치고 돌아와 갓 복학한 상태였다. 전공과는 무관하게 극작가가 되고 싶었던 이연은 이런저런 외부 활동을 하며 그곳에서 만난 사람들과 자연스레 어울렸다. 영화 커뮤니티에서 만난 준도 그중 한 명이었다. 몇 달을 같이 보낸 그들은 부쩍 친해져 있었고, 여름이 절정에 다다랐을 무렵 준이 이연에게 고백하며 교제가 시작되었다. 준은 첫 모임 때부터 이연이 마음에 들었다고 했다.

스물넷, 한 살 위였던 준은 이연을 살뜰히 챙기며 예뻐했다. 이연도 자상하고 두루 아는 것이 많은 준을 친오빠처럼 따랐다. 준은 가까운 지인들에게 이연을 소개하고 싶어 했다. 그렇게 처음으로 만나게 된 이가 준의 막역한 고향 친구인 록이었다.

록의 첫인상은 묘했다. 훗날 이연이 그들의 첫 만남을 상기하며 적절한 감상을 찾아보려 했으나, 묘하다는 말 외에는 달리 표현할 도리가 없었다. 일행이 오기 전부터 소주 한 병을 앞에 두고 취해 있던 록은 이발 시기를 놓친 듯 덥수룩한 곱슬머리에 옷매무새에는 전혀 신경 쓰지 않는 사람이라는 것을 한눈에 알 수 있었다. 잘생긴 것과는 거리가 먼 얼굴은 오히려 수더분한 편에 속했다. 그러나 투박한 안경 너머로 상대를 꿰뚫어 보는 듯한 눈빛과 한쪽이 살짝 더 올라가 비대칭인 입꼬리는 록의 전체적인 인상을 날카롭다 못해 차갑게 만들었다. 이연은 시종일관 표정을 가늠하기 어려운 록의 붉은 얼굴을 힐끔거렸다.

모 예술대학의 문예 창작과에 다니고 있는 록은 소설가 지망생이라고 했다. 역시 작가의 꿈을 꾸고 있던 이연과 록은 시간 가는 줄 모르고 좋아하는 작가와 소설, 영화와 음악에 관한 이야기를 나누었다. 이연은 록이 쓰고 있다는 소설이 궁금해졌다. 록은 이연이 궁금해졌다. 준은 그런 둘을 흐뭇하게 바라봤다. 많은 일은 누구도 모르게 시작된다.

준을 비롯한 영화 커뮤니티 사람들과 밤을 지새워 홍콩 영화 몇 편을 보고 귀가한 아침이 있었다. 몇십 번은 족히 본 화양연화에서 이전과는 조금 다른 감각을 느낀 날이었다. 국숫집에 앉아 있는 첸 부인과 차우를 보며 이연은 며칠 전 그 선술집을 생각했다. 가시지 않는 여운을 안고 문으로 들어서는 이연에게 동생이 말했다.

"언니 앞으로 뭐 왔더라."

"올 게 없는데… 뭐지?"

"조그만 상자던데, 빨간 거. 책상 위에 올려놨어."

이연은 방으로 들어가 책상 한가운데 놓인 붉은 상자를 집어 들었다. 한 변이 십 센티미터 남짓 되어 보이는 정육면체는 중량감이 거의 느껴지지 않을 만큼 가벼웠다. 한쪽 옆면에 특이하게 흘려

쓴 '이연님' 이외에는 주소도 쓰여 있지 않았다. 누군가 직접 두고 갔다는 이야기였다.

뚜껑을 살며시 들어 올리자, 상자와 비슷한 색의 붉은 한지에 싸인 무언가가 얼핏 보였다. 한지를 옆으로 들췄을 때 이연은 하마터면 상자를 떨어뜨릴 뻔했다. 정체를 드러낸 것은 하얀 왼손 약지 모형이었다. 첫째 마디가 시작되는 부분에서 붉은 피가 흘러나오는 듯 괴이했다. 쪽지가 동봉되어 있지 않았다면 잘린 손가락이 배달된 테러쯤으로 오해할 수도 있었을 법한 광경이었다.

- 소설을 쓰던 중, 키보드를 두드리는 열 손가락이 문득 더없이 귀하게 느껴졌습니다. 알지네이트로 만든 몰드에 손가락을 넣어 굳히는 내내 그대들을 생각했어요. 설령 글을 쓰지 못하게 된다고 하더라도 기꺼이 내 손가락을 잘라서 줄 수 있을 만큼 유의미한 사람들이라고 말이에요. 왼손 네 번째 손가락과 같은 당신, 나의 스물네 번째 생일잔치에 이 손가락을 가지고 와 주세요. 록.

딱지 모양으로 접힌 쪽지는 온통 생경한 단어들의 나열이었다. 알지네이트는 둘째 치고 생일잔치라는 말은 마지막으로 들어 본 것이 언제인지 기억조차 나지 않았다. 그러니까 이게 초대장이라고? 그것도 자기 생일잔치의? 이연은 고개를 갸웃하며 왼손에 쥔 손가락 모형과 오른손의 쪽지를 번갈아 보았다. 기괴해 보이던 석고 손가락에서는 이제 어떤 비장함마저 느껴졌다. 붉게 달아올라 소설에 대해 열띠게 이야기하던 록의 얼굴이 떠올랐다. 고작 한 번 만난, 안 지 얼마 되지도 않은 자신에게 그런 의미를 부여했다는 것은 여전히 의아했지만, 록의 초대에 응하고 싶다는 생각이 들었다. 어쩌면 자신이 받은 왼손 약지의 진짜 의미가 궁금했는지도 모른다. 이연은 다이어리를 펼쳐 쪽지 끝부분에 작게 쓰인 일시와 장소를 메모했다.

*

록의 생일은 여름의 등허리를 훌쩍 지나 더위가 한풀 꺾인 날이었다. 이연은 머리를 높게 올려 묶고 밝은 민소매 원피스에 도톰한 카디건을 걸쳐 입었다. 화장은 옅었지만, 평소에는 잘 착용하지 않는 귀걸이도 꺼내어 달았다.

"오늘 예쁘네."

역 앞에서 만난 준이 이연의 어깨를 감싸며 다정히 말했다. 두 사람은 록이 초대한 장소를 향해 걷기 시작했다. 이연이 손가락 모형에 관한 이야기를 꺼냈고, 왼손 엄지를 받았다는 준은 별로 놀라지도 않은 눈치였다.

"걔가 원래 좀 그런 데가 있어. 하는 짓은 괴짜 같은데 알고 보면 매력 있고, 자기 사람 잘 챙기고."

이십여 분을 걸어 도착한 건물은 록을 처음 만났던 선술집에서 그리 멀지 않은 오 층짜리 빌라였다. 건물 외벽 유리에 늦여름 노을이 붉게 드리워 반짝였다. 쪽지에 적혀 있던 대로 외부 계단을 올랐다. 밭은 숨을 몰아쉬며 옥상에 발을 내디뎠을 때 두 사람의 눈앞에 펼쳐진 것은 음식이 차려진 기다란 테이블과 양옆으로 늘어앉은 여덟 명의 참석자, 그리고 정면 가운데에 고깔을 쓰고 왕처럼 앉은 록이었다. 록의 왼쪽 바로 옆자리와 같은 쪽 네 번째 자리만 비어 있는 것으로 보아 아무래도 다들 록으로부터 받은 손가락 모형과 같은 위치에 앉은 모양이었다. 빨랫줄을 따라 촘촘히 걸린 꼬마전구들이 꽤나 밝은 빛을 뿜어내며 테이블 주변을 밝히고 있었다.

"전구를… 몇 개나 단 거야, 대체?"

양팔을 힘껏 벌리고 다가와 두 사람을 껴안은 록에게 자신이 받은 왼손 엄지를 내보이며 준이 물었다. 록은 대답 대신 씽긋 웃어 보였다. 처음 만났던 날처럼 반달눈과 비대칭 입꼬리가 만들어 낸 미소를 록의 긴 왼팔 안에서 멍하니 올려다보던 이연도 곧장 왼손 약지를 꺼내어 내밀었다. 일종의 입장권인 셈이었다. 록이 얼싸안았던 팔을 풀자 들큼한 머스크 향이 났다. 어디선가 불어온 미풍에 이연의 귀걸이가 찰랑였다.

각자의 손가락대로 준은 록의 옆자리에, 이연은 남은 마지막 자리에 앉았다. 편의점을 연상케 하는 파란 플라스틱 의자가 썩 불편하지 않았다. 하얀 플라스틱 테이블 위에 쏟아진 노을이 의자의 파랑과 대비되어 선명한 다홍으로 보였다. 테이블에 차려진 음식들은 분식과 피자, 치킨 같은 유였다. 거기에 알록달록 장식된 버터크림 케이크까지 더해져 꼭 어릴 적 엄마가 반 친구들을 초대해 집에서 해 주시던 생일잔치처럼 느껴졌다.

록, 준과 떨어져 앉은 이연은 초면의 사람들과 인사를 나눴다. 그녀들은 록의 대학 동기, 선후배, 혹은 같은 커뮤니티에서 글을 쓰는 예비 작가라고 했다. 그러고 보니 록과 준을 제외한 그 자리의 모두가 여자였다.

"이연 씨는 이 생일잔치 처음이죠?"

이연의 바로 맞은편, 그러니까 손가락으로 치면 오른손 약지 자리에 앉은 하얀 얼굴의 여자가 물었다. 길게 늘어뜨린 검은 생머리에 오목조목 예쁘장한 이목구비가 눈에 띄었다. 록의 과 후배라고 자신을 소개한 그녀의 이름은 해나였다.

"저는 이번이 두 번째예요. 록 선배 제대하고는 처음이고요. 스무 살 되던 해부터 군대 가 있던 기간 빼고 했으니까, 이번이 세 번째 잔치인 거죠. 어렸을 때 친구들 불러다 생일잔치를 못 해 봐서 직접 여는 어른의 생일잔치라니 참 선배답지 않아요?"

아, 그랬구나. 초대장을 받았을 때부터 머리에 맴돌던 의문이 자연스레 풀렸다. 그러면 손가락은? 궁금해진 이연이 해나에게 물었다.

"손가락도 매년 보냈던 거예요?"

손에 들고 있던 종이컵의 맥주를 한 모금 마시며 고개를 젓는 해나 대신 이연의 왼쪽 옆, 왼손 소지 자리에 앉은 여자가 대답했다.

"네, 매년 손가락 하나당 한 명씩 총 열 명만. 안녕하세요 언니, 저는 미우예요. 아저씨랑 같이 소설 쓴 지는 좀 됐어요. 언니라고 불러도 되죠?"

　록을 아저씨라 부르는 그녀는 아직 소녀티가 채 가시지 않은 앳된 얼굴을 하고 있었다. 이제 막 고등학교에 들어갔다고 했다. 다시 보니 다들 맥주며 소주를 마시고 있는데 그녀의 잔에만 오렌지주스가 채워져 있었다. 당연히 또래들만 모이는 자리일 것이라 생각했던 자신이 이 자리에서 유일하게 편견으로 가득한 인간처럼 느껴져 이연은 한순간 부끄러웠다.

　어둠이 노을빛을 빈틈없이 삼키자, 빨랫줄 위 꼬마전구들이 마치 홍콩의 밤거리처럼 빛났다. 잔치는 중반부를 넘어서고 있었다. 자리가 무르익는 동안, 화장실에 다녀오기 위해 잠시 일어났을 때를 제외하고 이연은 같은 방향에 나란히 앉아 시야에 들어오지 않는 준의 얼굴을 거의 볼 수 없었다. 반면 록과는 계속해서 눈이 마주쳤다. 사실상 참석자 모두와 눈을 맞출 수 있는 위치는 록이 앉은 자리뿐이었기에 처음에는 대수롭지 않게 생각했다. 그러나 록이 점차 노골적으로 바라보는 것을 느낀 시점부터 이연은 그 시선을 의식하기 시작했다. 알 수 없는 설렘과 두려움이 동시에 일었다.

　늦도록 이어지는 술자리에 주스를 마시던 고등학생은 먼저 집으로 돌아갔다. 취기가 오른 이들이 저마다 소란스럽던 때, 갑작스러운 록의 한마디가 일순간 정적을 불러일으켰다.

　"지금 이 자리에서 내가 제일 좋아하는 사람은 쟤야."

십수 개의 눈동자가 록을 향했다가 이내 록의 손가락이 가리키는 방향으로 굴러갔다. 그 손가락 끝에 있는 것은 이연이었다. 록의 얼굴은 처음 봤던 날처럼 붉었다. 당황한 이연은 잠시 록을 노려보고는 퍼뜩 고개를 앞으로 내밀어 준의 자리를 살폈다. 다행인지 불행인지 그날따라 유난히 빨리 취한 준은 테이블 위에 엎어져 있었다. 저도 모르게 한숨을 내쉬던 이연은 안도하는 자신의 모습에 순간 뜨끔했다. 모두 취해 있어서인지 만취한 록의 헛소리라 생각해서인지 적막은 빠르게 깨지고 자리는 다시 와자지껄해졌다. 다들—심지어 록마저— 무슨 일이 있었냐는 듯 마시고 떠드는 곁에서 술이 확 깨어 버린 이연만은 마냥 웃을 수 없었다. 차라리 잘못 들었다고 생각하는 쪽이 속 편할 지경이었다.

　얼마가 흘렀을까, 취한 이들이 하나둘 옥상 바로 아래층인 록의 자취방으로 내려가기 시작했다. 이연도 테이블에 엎드린 준을 부축해 방으로 향했다. 그리 넓지 않은 원룸은 바닥 여기저기에 널브러진 사람들로 어지러웠다. 방 한편에 준을 눕힌 이연은 앉을 곳이 마땅치 않아 다시 문을 나섰다.

　옥상에 오르자 이연의 눈에 들어온 것은 접시와 술병만 널린 빈 테이블, 그리고 옥상 난간에 양팔을 걸친 채 비스듬히 서서 동네를 굽어보고 있는 록의 옆모습이었다. 이연은 록에게 다가가 나란히 섰다. 내려다본 골목은 새카맣게 조용했다.

　"아까 그 말 진짜야. 취해서 그냥 한 소리 아니고."

고요를 깬 쪽은 록이었다. 이연은 고개를 돌려 키가 훌쩍 큰 록을 올려다보았다. 분명 취했던 것 같은데, 록의 말투와 얼굴에서 술기운은 찾아볼 수 없었다.

"나, 이연 널 진짜 좋아하는 것 같아. 처음 본 날부터 그랬어. 나는 네 맘도 다르지 않다고 느꼈는데 어때?"

잠자코 고백을 듣는 이연의 마음에 곤혹스러움 대신 록의 시선을 통해 느꼈던 설렘과 두려움이 다시 피어올랐다. 머릿속에서 뒤죽박죽 엉킨 낱말들이 도무지 문장으로 엮이지 않았다. 그때 록의 입에서 믿을 수 없는 말이 흘러나왔다.

"알아. 시작조차 해서는 안 되는 사이인 거. 근데 이대로 시작도 끝도 없다면 너무 슬프지 않아? 하루만, 딱 하루만 평범한 연인처럼 보내자. 그다음엔 원래대로 돌아가는 거야. 나는 그 하루의 기억으로 평생을 살아갈 수 있을 것 같아."

말도 안 되는 소리라고, 절대 일어나서는 안 되는 일이라고 생각했다. 그러나 이성과 달리 달뜬 마음은 주체할 수 있는 범위를 넘어서 버렸다. 숨을 한껏 들이쉰 이연은 고개를 크게 끄덕여 두 사람만의 비밀스러운 하루에 동참하기로 했다.

그날, 만나자마자 누가 먼저랄 것도 없이 손을 잡은 록과 이연의 데이트는 더없이 평범했다. 둘은 영화를 보고, 밥을 먹고, 차를 마시고, 공원을 걸었다. 밤의 공원에서 두 사람은 동이 틀 때까지 이야기를 나눴다. 기억도 가물가물할 만큼 아주 어렸을 때의 일부터 서로를 알기 직전의 이야기까지, 가능한 한 모든 기억을 나누어 가지고 싶었다. 동시에 상대의 모습을 온전히 아로새기려 눈에 담고 또 담았다. 꿈결인 듯 고운 시간은 속수무책으로 흘렀다. 전날 두 사람이 만난 시간이 가까워 오자 록은 이연에게 입을 맞췄다. 가벼웠지만 여운이 긴 입맞춤이었다. 스물네 시간의 담백한 밀회는 그렇게 끝났다.

*

원래의 자리로 돌아간 록과 이연은 준과 셋이 운명 공동체처럼 몰려다녔다. 어떤 날은 이연의 학교 앞에서, 또 어떤 날은 록의 자취방에서 같이 술을 마시고 영화를 보고 감상을 나눴다. 작품에 관해 열띤 토론이 벌어지면 생각이 똑 닮은 록과 이연이 편을 먹는 경우도 더러 있었지만, 준은 불쾌해하지 않았다. 록의 대학 친구들과 함께 어울리는 날도 늘어 갔다. 록에게도 여자친구가 있었으나 멀리 사는 그녀와는 거의 만나지 않는 듯했다.

여럿이 모인 자리에서 눈이 마주칠 때면 이연은 록을 향해 싱긋 웃어 보였다. 그러다 차츰 횟수가 늘어났고, 눈빛이 닿는 시간이 길어졌다. 이연은 그것이 무엇을 의미하는지 이미 짐작하고 있었다. 록도 마찬가지였을 것이다. 이따금 마주친 록의 눈빛이 슬퍼 보이면 이연은 더 활짝 웃어 보였다.

이연은 종종 준의 손을 잡고 걸으며 앞서 걷는 록의 뒷모습을 바라봤다. 또 어떤 날은 이연이 두 사람의 가운데에서 걸었다. 록과 손가락이 살짝 스쳐 닿을 때마다 이연은 움찔했다.

한동안은 괜찮았다. 괜찮은 줄 알았다. 그러나 어떤 감정들은 억누르면 억누를수록 더욱 선명해진다. 마음의 물살이 만나 생긴 감정의 소용돌이는 시간이 흐를수록 더욱 사납고 맹렬하게 휘몰아쳐 애써 고요하던 중심마저 흔들어 버렸다. 이연은 한시도 록에 관한 생각을 멈출 수 없었다. 함께 웃고 있다가도 빈번히 눈앞이 흐려졌다. 걷잡을 수 없는 감정에 마음이 어지럽던 어느 날, 이연은 준에게 작별을 고했다. 심장에 록을 품고 다른 이와의 관계를 지속할 수는 없는 일이었다. 그와 동시에 록과도 이별했다. 온통 노랗고 붉었던 잎들이 버석해지고 추위가 제법 날카로워진 무렵이었다.

*

그 겨울에는 눈이 많이 내렸다. 이연은 사락사락 내리는 눈을 보며 유리잔에 물을 따르고 있었다. 쨍그랑- 창밖에 시선을 고정한 채 물을 마시려던 이연은 잔을 들어 올리다 놓치고 말았다. 바닥에 떨어진 잔은 다행히도 몇 개의 큰 조각으로 깨져 사방으로 유리 파편이 튀지는 않았다. 이연은 깨진 조각을 식탁 위로 조심조심 주워 올렸다.

"아야!"

모은 조각을 신문지에 쓸어 담던 이연은 뾰족한 조각 하나에 손가락을 베였다. 왼손 약지에서 주르륵 흘러내린 피가 팔꿈치를 타고 하얀 식탁 위로 뚝뚝 떨어졌다. 순간, 붉은 상자 속 석고 손가락이 뇌리를 스쳤다. 붉은 피를 흘리는 왼손 약지, 붉은 심장과 연결된 사랑의 상징, 나의 심장, 나의 사랑, 록.

갑자기 눈물이 쏟아졌다. 잊어 보려, 참으려 노력했던 시간은 모두 부질없었다. 사실은 한순간도 록을 잊은 적 없다. 보고 싶었다고, 계속 그리운 상태로 살고 있었다고 당장이라도 달려가 록에게 온갖 진심을 퍼붓고 싶었다.

이연은 피가 멎지 않은 손가락에 주방 수건을 대충 감고 미친 사람처럼 뛰쳐나가 택시를 잡았다. 차창 밖으로 흩날리는 눈발은 점점 굵어지고 있었다. 익숙한 건물 앞에 내린 이연은 한 번에 두 단을 건너짚으며 계단을 뛰어 올라갔다. 이윽고 눈으로 뒤덮인 하얀 옥상에서 그리웠던 옆모습을 발견했다. 쌕쌕거리는 소리에 돌아본 록의 눈은 놀라움으로 커졌다가 이내 반달로 변했고, 입가에는 가늘게 미소가 떠올랐다. 이연은 눈물로 뒤범벅된 얼굴을 하고 록의 품으로 힘껏 뛰어들었다. 끌어안은 두 사람의 머리 위로 함박눈이 소복소복 내려앉았다. 그날, 둘은 함께 밤을 지새웠다.

*

　록과 이연은 떨어져 지낸 날들에 대한 보상이라도 받으려는 듯 많은 시간을 함께 보냈다. 밀린 이야기를 하기에 밤은 늘 짧았다. 며칠을 붙어 있다 떨어져도 금세 상대의 안부가 궁금해져 밤새 통화를 이어 갔다. 편지도 자주 주고받았다. 날이 좋으면 서울의 이름난 공원이나 궁을 거닐고 구불구불한 피맛골의 작은 술집에서 고갈비에 주전자 막걸리를 나누어 마시기도 했다. 록의 옥상에서 별을 보던 밤도 있었다. 곤히 잠든 도시에 두 사람만이 고요히 깨어 있었다. 가슴이 벅찼고 언어는 이미 의미를 잃었다. 밝지 않을 밤이기를, 깨지 않을 꿈이기를 잠시나마 바랐던 것도 같다.

　연인이 아니었던 시절 그랬던 것처럼 여럿이 어울리는 경우도 종종 있었다. 함께하는 사람의 대부분은 생일잔치에 왔던 록의 대학 선후배와 동기들이었다. 이연을 포함한 모두가 글을 쓰고 있었고, 이연을 제외한 모두가 전공자였다. 록의 자취방을 아지트 삼아 모이는 그들과는 문학을 비롯해 문화 전반에 대한 이야기를 폭넓게 나눴다. 예술가적 기질이 다분한 그들과의 대화는 이제껏 이연이 해 왔던 그것과 사뭇 결이 달랐다. 자유분방하면서도 세련되게 느껴지는 그들의 말과 행동은 이연을 어딘가 주눅들게 만들곤 했다. 그럴 때마다 이연은 생일잔치에서처럼 소외감 비슷한 것을 더러 느꼈다. 스스로를 이방인으로 여기면서도, 이연은 그 무리에 섞여 들고 싶었다.

무리의 중심에는 언제나 록이 있었다. 록의 언어는 누구와도 달랐다. 낯설지만 감각적이고, 예민하지만 결코 과하지 않았다. 인간과 예술을 대하는 록의 태도는 한결같이 진지하면서도 유쾌했고, 다른 이들도 록의 그러한 면을 동경하는 듯했다. 이연은 록과의 연애가 특별하다고 느꼈다.

*

"손가락 말이야."

록의 자취방 바닥에 나란히 배를 깔고 엎드려 영화를 보던 이연이 불현듯 물었다.

"생일 초대하면서 보냈던 손가락, 나는 왼손 약지였잖아. 그거 무슨 의미였어?"

록은 몸을 일으켜 미지근해진 캔맥주를 한 모금 마셨다. 불 꺼진 방, 화면에서 흘러나온 빛만이 록의 얼굴에 어른거렸다. 여전히 엎드린 채 올려다보는 이연의 한쪽 볼을 천천히 쓸며 록이 입을 열었다.

"베나 아모리스(Vena Amoris). 내 심장에서 뻗어 나온 혈관이 손가락을 거쳐 네게 가 닿을 수 있을까 생각했어. 처음 봤던 날부터 이연 너는 내게 그런 존재였던 것 같아. 그리고 네게도 내가 그런 존재이기를 바랐어."

볼을 쓰다듬던 손가락이 머리칼을 파고들었다. 록은 고개를 숙여 이연의 입술에 제 입술을 살며시 포갠 뒤 속삭였다.

"너는 나의 뮤즈야."

*

"바라나시에 가자."

바람이 촉촉하던 어느 날, 잡은 이연의 손을 힘차게 흔들며 강변을 걷던 록이 말했다. 그 짧은 제의에는 바라나시라는 소우주에의 열망이 가득 실려 있었다. 삶과 죽음이 공존하는 갠지스강에서 인생의 한 축을 살피어 존재의 의미를 깨닫고, 여행에서 얻을 작가적 영감으로 함께 소설을 쓰자며 둘은 새끼손가락을 걸었다. 참으로 공허한 약속이었다.

*

행복한 시간은 더디 흘러 주지 않는다. 이연보다 한 해 먼저 졸업한 록은 생업을 위해 지방으로 내려갔다. 친척이 운영하는 작은 독서실을 관리하는 자리였는데, 다른 직장에 비해 업무 강도가 높지 않아 틈틈이 소설 집필을 병행하겠다고 했다.

장거리 연애의 초반 몇 개월은 순탄한 듯 보였다. 두 사람은 서울과 지방을 번갈아 오가며 만남을 이어 갔다. 하지만 오래지 않아 이연이 록에게 향하는 빈도가 점차 높아졌다. 록은 좀처럼 서울에 오려 하지 않았다. 만남이 현저히 줄어들면서 견고했던 둘 사이에 조금씩 균열이 생겼다. 이는 단순히 물리적인 거리의 문제만은 아니었다. 직장인이 된 록과 여전히 대학생인 이연에게는 좁힐 수 없는 괴리가 존재했다. 소설가의 꿈과 현실의 경계에서 고뇌하는 록에게, 이연을 비롯한 지인들의 고민은 배부른 소리로 느껴졌다.

　록이 다른 무리의 사람들과 부쩍 어울리기 시작한 것은 이 무렵이었다. 이연이 전화를 걸면 록은 대체로 취해 있었다. 수화기 너머로 들리는 여러 목소리에는 어렴풋이 여자들의 웃음소리가 섞여 왔다. 록에게 물으면 그저 요즘 같이 글을 쓰는 사람들이라고만 했다. 그러다 아예 전화를 받지 않는 날도 있었다. 이연의 머릿속은 수많은 걱정과 의구심으로 혼란했다.

*

　사실 예전부터 한 가지 이연의 마음에 걸리는 일이 있었다. 그 일은 눈 내리는 옥상에서 이연과 록이 재회한 지 한 달쯤 되었을 때의 어느 새벽, 록의 방에서 처음으로 일어났다. 두 사람은 담요 하나를 뒤집어쓰고 도란도란 이야기를 나누는 중이었다. 록의 휴대폰 진동이 울린 것은 새벽이 한껏 깊어져 가던 시각이었다. 전화를 받지 않을 것이라는 이연의 예상과 달리 록은 수신 버튼을 누르고 휴대폰을 귀에 댔다.

　"여보세요?"

"로-옥…"

누군지 정확히 가늠할 수는 없었지만, 휴대폰에서 어렴풋이 흘러나온 것은 분명 술에 취한 듯 느릿한 여자의 목소리였다. 록은 담배를 피워 물며 현관으로 향했다. 이연은 당혹감에 동그래진 눈으로 록의 뒤통수를 멀거니 바라봤다. 이십 분쯤 지났을까, 방으로 돌아온 록에게 이연이 물었다.

"누구야?"

"아, 해나. 많이 취해서."

"취해도 그렇지 이 시간에… 뭐라는데?"

"그냥. 보고 싶다고 나오라는 거지 뭐."

덤덤한 록의 대답에 이연은 대꾸할 의지를 잃었다. 그런 일이 일주일에 두세 번은 있었다. 전화하는 이는 해나뿐이 아니었다. 록은 그 전화들을 매번 성의 넘치게도 받았다. 그리고 당연하다는 듯 이연에게 이야기했다. 정의된 이름은 달라도 자신에게 있어 저마다의 가치를 지닌 귀한 이들이기에 관계를 소홀히 할 수는 없다고 말이다. 이연은 그냥 잠자코 있었다. 혼자만 록의 관계에 대한 관념을 이해하지 못하는 이방인으로 치부되고 싶지 않았다. 비록 그 가치관이 보통 사람과는 지극히 다르다는 것을 이미 알고 있었을지라도.

*

　새벽녘 걸려 오던 전화 속 목소리들과 미지의 무리 속 웃음소리가 자꾸 겹치면서 이연의 마음은 괴로워졌다. 이제는 연락조차 닿지 않는 날이 많아졌고, 이연은 이전처럼 만날 수 없는 상황과 이유 모를 록의 냉담에 지쳐 갔다. 록을 만나지 않는 시간에 이연이 할 수 있는 것은 록이 소설을 올리는 커뮤니티와 블로그에서 록의 자취를 찾는 일뿐이었다.

　록과의 통화를 거듭 시도하다 포기한 어느 밤, 이연은 커뮤니티에서 록이 최근에 올린 소설을 읽고 있었다. 스크롤을 내려 글에 대한 다른 이들의 감상을 보던 중 어떤 댓글 하나가 눈에 들어왔다.

　- 누구의 마음에나 아무도 모르는 작은 새가 한 마리쯤 있잖아요. 아저씨 마음에는 어떤 새가 살고 있나요?

　록을 아저씨라 호칭한 그 댓글은 '도깨_비'라는 필명으로 쓰여 있었다. 이연은 어쩐지 싸한 기분이 들었다. 댓글을 다시 읽어 봐도 마찬가지였다. 필명 위에 마우스 커서를 올린 이연은 잠시 숨을 고른 다음 왼쪽 버튼을 눌렀다. 도깨_비가 올린 작품들과 작성한 댓글들이 모니터를 하나 가득 메웠다. 이연은 도깨_비가 록의 글에 단 댓글을 위에서부터 하나씩 클릭하기 시작했다.

　아직 이십 대 중반인 록을 아저씨라 부르며 둘만의 밀어처럼 댓글을 쏟아 내는, 학생으로 추정되는 그녀는 놀랍게도 록과 몰래 마음을 나누던 때의 이연과 똑 닮아 있었다. 그들은 실제로 몇 번 만나기도 한 모양이었다.

- 아저씨 이번 이야기도 좋아요. 댓글 일등은 맨날 내가 할 거야.

- 오늘 밤 모임 나올 거죠, 아저씨? 보고 싶어.

- 취해서 갑자기 사라져 버린 내 아저씨. 나 스무 살 되면 바라나시 데려가 주기로 한 거 잊기 없기!

이연은 둔기로 머리를 맞은 듯 멍해졌다. 눈앞은 하얗고 욕지기가 솟았다. 울렁이는 가슴을 부여잡고 화장실로 뛰어 들어간 이연은 변기에 매달려 헛구역질을 한참 토해 냈다. 눈물인지 콧물인지 분간할 수 없는 액체가 쉴 새 없이 흘러 토물 대신 변기 속으로 후드득후드득 떨어졌다.

그때 전화벨이 울렸다. 록이었다. 이연은 어지러움에 금방이라도 쓰러질 것만 같은 몸을 일으켜 손을 뻗었다. 휴대폰을 집어 든 이연은 바들바들 떨며 목멘 소리로 겨우 말을 꺼냈다.

"만나 당장. 할 얘기가 있어."

*

록이 사는 도시에 도착했을 때 시간은 새벽 두 시를 훨씬 넘어서고 있었다. 택시에서 내리자, 저 멀리 우산을 들고 선 록의 실루

엿이 보였다. 하늘이 쏟아질 듯 세찬 빗줄기에 가려 표정을 헤아리기는 어려웠다. 이연은 내리는 비를 온몸으로 받아내며 천천히 록에게 걸어갔다. 영겁 같은 그 잠깐의 시간을 지나 우산 속으로 들어간 이연은 어디를 보고 있는 것인지 알 수 없는 텅 빈 눈의 록과 마주했다. 막상 얼굴을 보니 심장이 쿵 내려앉았다. 내리는 비처럼 쏟아지려는 눈물을 간신히 눌러 참은 이연은 도깨_비의 댓글을 내보이며 차갑게 말했다.

"설명해."

록은 말이 없었다.

"설명해. 얘가 누군지, 왜 얘한테서 바라나시 얘기가 나오는지 설명하라고!"

다그치는 이연을 보며 한숨을 푹 내쉰 록은 이윽고 입을 열었다.

"설명해도 안 들을 거잖아. 이해 못 할 거잖아. 이연, 너는 이미 네 결론을 가지고 온 거잖아."

이성을 잃은 이연은 두 주먹으로 록의 가슴을 쾅쾅 치며 울부짖었다.

"그게 대체 무슨 말이야… 설명해 제발… 설명하라고… 전화 안 받을 때마다 개랑 있었던 거야? 그런 거니?"

"…이연, 무슨 말을 해도 너는 이해 못 할 거야. 너와 내 세상은 너무 달라. 우리 여기까지만 하자."

허망한 표정으로, 그러나 단호하게 말을 맺은 록은 들고 있던 우산을 이연의 손에 쥐여 주고 뒤돌아섰다. 이연은 우산을 팽개치고 쓰러지듯 주저앉아 엉엉 울며 뇌까렸다. 이 나쁜 놈아… 어떻게 네가 나한테 이럴 수 있어… 우리가 어떻게 시작했는데 어쩜 이래 나쁜 새끼야… 멈춰 서 있던 록은 돌아보지 않고 허공을 향해 탓하듯 말했다.

"너는 누구와도 행복해질 수 없을 거야."

록이 떠난 자리, 비가 억수같이 퍼붓는 새벽의 낯선 거리에 이연만 우두커니 남았다. 이것이 록과의 마지막이었다.

*

그 많은 비를 고스란히 맞은 탓인지 이연은 몇 날 며칠을 앓았다. 하루가 멀다 하고 문을 두드리는 악몽에 벌떡벌떡 깨기 일쑤였다. 악몽은 고장난 비디오테이프처럼 같은 장면만을 반복적으로 재생했다. 꿈속에서 이연은 록과 이별하고 또 이별했다. 이쯤 되니 악몽이 현실인지, 악몽보다 더 악몽 같은 현실이 진짜 악몽인지 분간할 수도 없는 지경에 이르렀다. 가족들은 식사를 거른 채 누워만 있는 이연을 걱정스러운 마음으로 살피면서, 행여 큰일이라도 날까 싶어 어떤 것도 묻지 않았다.

어느 정도 안정을 되찾은 이연은 록에게 몇 차례 전화를 걸었다. 그러나 들을 수 있는 것은 록의 컬러링뿐이었다. 댓글이라도 남겨 보려고 들어간 록의 블로그에서 이연은 바뀐 프로필 문구를 발견했다.

　- 모든 것이 되고자 했으나 아무것도 되지 못한 사람.

　이연은 록을 잊기로 했다.

*

　록과의 이별로부터 반년쯤 지난 어느 깊은 밤, 이연에게 전화가 한 통 걸려 왔다. 모르는 번호였다.

　"여보세요?"

　"후… 이연 씨, 잘 지냈어요?"

　안부를 묻는 여자의 취한 목소리가 어딘가 낯익었다.

　"누구세요?"

　되묻는 이연에게 수화기 저편의 여자가 말했다.

　"저예요, 해나."

　해나가 누구더라, 잠시 고민하던 이연은 금세 그녀의 얼굴을 떠올려 냈다. 록의 생일잔치에서 처음 만난 뒤 한동안 함께 어울렸던 록의 과 후배였다.

　"아, 해나 씨. 오랜만이에요. 그런데 무슨 일이에요?"

　이연은 잊고 지내던 이름에 반가운 기색을 먼저 보였다가, 이내 용건이 궁금해졌다. 이연의 마음을 읽은 듯 해나는 긴 이야기를 풀어놓았다.

"꼭 하고 싶은 이야기가 있어 전화했어요. 이연 씨, 혹시 미우 기억해요? 록 선배 생일잔치에 왔던. 며칠 전 선배 생일잔치에서 또 만났거든요. 근데요 이연 씨, 이번에는 미우가 왼손 약지를 받았어요. 선배가 매년 보내는 석고 손가락 말이에요. 둘이 만난다네요. 록 선배랑 미우랑. 아직 고등학생인데… 그 이야기 듣고 처음에는 미칠 것 같았다가 이연 씨 생각이 났어요. 그래서 전화했어요. 이연 씨가 선배를 정말 많이 사랑했던 것 같아서. 이연 씨는 알아야 할 것 같아서."

취기가 오르는지 잠시 말을 멈춘 해나는 후- 날숨을 길게 내쉬고 다시 이야기를 이어 갔다.

"나 사실 이연 씨가 부러웠어요. 록 선배 많이 좋아했거든요. 지금도 그렇고. 이연 씨 알기 전 록 선배랑 연애 비슷한 걸 한다고 생각한 적이 있었는데, 선배는 끝내 우리 관계에 내가 원했던 이름을 붙여 주지 않았어요. 자기의 듬직한 예술 동지라며 선을 긋더군요. 입을 맞춘 적도 있는데 말이죠. 그런데 연인도 아니었던 이연 씨가 왼손 약지를 받은 거예요. 나는 그렇게 선배를 좋아해도 받을 수 없었던 그 약지를요. 부럽고, 질투 비슷한 것도 느꼈어요. 이연 씨가 기억하는 생일잔치 참석자의 대부분이 그랬을 거예요. 혹시 눈치챘을지 모르겠지만 거기에 선배의 아주 예전 연인도 있었어요. 서로의 끝을 본, 그래서 이제는 더욱 편안해진 친구라는 이름으로. 록 선배는 그랬어요. 언제나 관계의 정의를 내리는 주체는 자신이었고, 관계의 처음도 끝도 본인이 정한 의식에 따라 선포했죠. 록 선배는 우리에게 자신의 어떤 손가락과 같은 사람이라는 호칭을 부여했지만, 사실은 자신이 우리에게 그런 존재이기를 바랐던 것 아닐까요."

이연이 무슨 이야기든 해 보려고 단어를 고르는 사이, 해나는 마지막 말을 던지고 전화를 끊었다.

"아직도, 한 번은 록 선배의 왼손 약지가 되고 싶어요. 아쉽게도 이번에는 그게 미우지만요."

귀에서 휴대폰을 떼던 이연의 머리에 하나의 이름이 떠올랐다. 록이 이연에게서 멀어져 갈 때 커뮤니티에서 발견했던 누군가의 필명. 魅(매혹할 매/도깨비 매, 도깨비 미)雨(비 우). 도깨_비는 미우였다. 이연에게서 록을 앗아간 매혹의 비였다. 록, 당신이 맞을 지도 모르겠어. 기어코 이 비밀을 기억으로 가져 버린 나는 어쩌면 영원히 불행할 수도 있겠구나.

이연은 록과 록의 사람들과 끝끝내 그 심연으로 들어가지 못하고 주변을 맴돌던 자신을 생각했다. 그것은 마치 록을 숭배하는 작은 종교 같았다. 작가가 되기를 꿈꾸던 열렬한 숭배자들은 록의 글과 말에 미혹되어 록을 동경하고 사랑했다. 록을 닮고자 하는 욕망은 스스로의 덫이 되었다. 록의 몇 번째 손가락으로 간택되어 존재 가치를 인정받은 대가로 끊임없이 록의 사랑을 갈구하게 되는 욕망과 집착의 덫 말이다.

아직도 해나는 미망과 현혹의 세계를 부유하는 듯 보였다. 정확히 몇인지 알 수는 없지만 해나만이 아닐 것임은 분명했다. 그들을 그 세계에 가둔 것은 누구도 아닌 그들 자신이었다. 그렇기에, 그녀를 구할 수 있는 이도 그녀 자신뿐일 것이다. 이연이 그러했듯.

*

왼손 약지의 반지 자국을 물끄러미 바라보며 이연은 생각했다. 그때 록의 말이 정말 저주라도 된 걸까. 몇 차례의 연애를 거쳐 시작한 결혼 생활이 이토록 시답잖은 결말을 맞이하게 된 것도 그 때문일까. 이 모든 것이 너의 저주에서 기인한 것이라고, 어쩌면 별생각 없이 내뱉었을 말 때문에 내가 줄곧 행복해질 수 없었다고 록을 향해 토해 내고 싶었다. 사실 이혼의 사유는 철저히 두 사람의 문제였음을 뻔히 알면서도 한 번 시작된 이상한 생각은 꼬리에 꼬리를 물고 뻗어 나갔다.

헤어진 후 록은 이연에게 몇 번 연락을 해 왔다. 상자 가득 두 사람의 추억이 담긴 물건을 돌려보내기도 하고, 이별 후 이연에 관해 썼다는 글을 보내오기도 했다. 같이 가기로 약속했던 바라나시에 혼자 다녀온 뒤에는 여행지에서 산 선물과 함께 품고 다녔던 여행 책자의 일부를 찢어 보냈다. 이연은 직감적으로 록이 그 책자의 또 다른 일부들을 과거의 연인 모두에게 보냈으리라 생각했다.

미우도 받았으려나, 쓸쓸히 웃으며. 동봉되어 있던 편지의 말미에는 이 같은 글귀가 쓰여 있었다. '평행선처럼 영원히 만날 수 없겠지만 이연, 너는 여전히 나의 뮤즈야. 한 시절 나와 같은 꿈을 꾸어 줘서 고맙습니다.'

이연은 단 한 번도 반응하지 않았다. 그저 완전한 결별을 위한 자신만의 의식이라고 편지에도 썼듯, 록 또한 딱히 응답을 바라고 한 연락은 아니었을 것이다. 이연은 휴대폰을 집어 들고 무엇에 홀리기라도 한 듯 저장되지 않은 번호를 눌렀다. 숫자에 약해 부모의 번호도, 결혼했던 이의 번호도 외워 본 적 없는 이연의 손가락이 유일하게 기억하는 번호. 휴대폰을 귀에 대자 익숙한 멜로디가 흘렀다. 한때 가장 좋아했지만 다시는 듣고 싶지 않았던 곡, 록의 오랜 컬러링이었다.

Everybody's talking how I, can't, can't be your love
모두 내가 너의 사랑이 될 수 없다고만 이야기해
But I want, want, want to be your love
하지만 난 정말, 정말로 너의 사랑이 되고 싶어
Want to be your love for real
너의 사랑이 되고 싶어, 진심으로
Want to be your everything
너의 전부가 되고 싶어

노래를 듣는 이연의 눈에서 왈칵 눈물이 솟았다. 여보세요. 저편에서 록의 것인지 다른 이의 것인지 모를 목소리가 들려왔지만 그게 누구든 이제는 아무래도 상관없었다. 록도 이연도 이연과 막 헤어진 그도 다만 누군가의 사랑이, 전부가 되고 싶었다. 그래서 마음을 다해 사랑했고, 전부가 되어 보기도 했다. 이제 사랑의 증표로 주고받았던 손가락은 화석이, 반지는 자국이 되고 말았다. 결과가 어떻게 되었든, 한때의 시간이 각자에게 미친 것이 무엇이든 그 모든 순간은 진심이었다. 사랑이었다.

그래서 사랑이라는 영화 속 주인공들은 화양연화(花樣年華), 가장 아름답고 찬란했던 시절을 지나 시절인연(時節因緣), 때 지난 인연이 되었을 뿐이다. 그리고 그것은 누구의 탓도, 저주도 아니다. 시절도 인연도 지나갔지만 사랑은 거기에 남아 있으므로.

이연은 대답 대신 통화 종료 버튼을 눌렀다.

*

바다가 훤히 보이는 통창으로 여름의 뜨거운 볕이 넓게 스몄다. 한 손에 커피잔을 들고 앉아 창밖을 멀리 응시하는 이연의 얼굴이 홀가분했다. 이연은 바지 주머니에서 꺼낸 석고 손가락을 테이블 위에 가만히 내려놓으며, 앙코르와트 사원의 무수한 구멍 중 하나에 붉은 시절 사랑의 언어를 영원히 봉인한 화양연화 속 차우를 생각했다. 자리에서 일어난 이연의 귀에 꽂힌 이어폰에서 익숙한 음악이 흘렀다.

Want to be your love, love, love, love, love, love
너의 사랑이 되고 싶어
I Want to be your love, love, love, love, love, love
난 너의 사랑이 되고 싶어

낭만 고양이

김도희

소설

김도희

내 안에 흐르는 언어를 꺼내어 전하는 일은 늘 어렵다. 그럼에도 글을 쓰는 동안
에는 자유로워진다. 얼마 전 친구가 된 고양이와 눈인사를 하는 일도 글쓰기와
다르지 않았다. 고요 속에 오롯이 그와 마주보는 순간의 감각은, 글을 쓰며 확장
되는 우주를 만나 알게 된 생의 기쁨을 떠올리게 했다. 덕분에 소설을 쓸 용기가
생겼다. 친구에게 전하는 이 짧은 작별 편지를 그가 받을 수는 없겠지만, 마음은
이미 닿았다고 믿는다. 늘 건강하기를, 잘 지내기를 바라며 써내려 간 첫 마음을
기억하며 앞으로도 고양이와 인사를 나누듯 글을 쓰려 한다.

낭만 고양이

#1

눈을 감았다가 떴다. 너무 빠르지 않게, 지그시. 연우는 뒷마당
으로 통하는 미닫이 문 앞에 쪼그리고 앉았던 다리가 저려서 아예
바닥에 앉았다. 세발자국 앞에 고양이가 앉아서 함께 눈을 깜박이
고 있었다. 연우가 한 번, 고양이가 한 번, 그 다음엔 연우, 그리고
다시 고양이. 차례를 지켜 눈을 감았다 뜨길 10분째였다. 얼마나
눈을 끔벅였는지, 눈물이 고였다. 슬쩍 보니 고양이 눈에도 눈물
비슷한 것이 맺혀 있었다. 잘못 본 것이 틀림없을 거라고, 착시일
확률이 크다고 생각하면서도 온몸에 전율이 일었다. 다정한 고요
속에 들리지 않는 말들이 흐르고 있었다. 얼마나 더 시간이 흘렀을
까, 문득 타자 치는 소리가 귀에 들어왔다. 앞에 있던 고양이에게

집중하던 감각이 뒤에 있는 기둥, 책상, 그리고 동료들을 향했다. 저린 다리를 펴며 천천히 일어났다. 다들 바쁘게 일하는데 혼자 뒷마당에서 신선 놀음을 계속 하다가는 사무실 이사 예정일 전에 쫓겨나서 고양이를 볼 수 있는 날이 더 줄어들 수도 있었다.

연우가 회사를 다닌 지 만 3년이 되어갔다. 한동안 새벽에는 소설 습작을 하고 낮과 밤에는 번역 아르바이트를 하다가 남들처럼 월급 받으며 살고 싶어 들어가게 된 회사는 한옥마을 골목에 위치해 있었다. 면접을 보러 간 봄날에는 뒷마당에 장미가 흐드러지게 피어 있었다. 젊은 여자 대표는 연우보다도 앳되어 보였는데, 옷은 꼭 <악마는 프라다를 입는다>에 나오는 메릴 스트립처럼 입고 있었다. 정장 투피스가 멋스럽긴 해도 동안페이스와는 매칭이 잘 안 됐다. 50대 잡지사 편집장의 세련미는 노련미에서 기인한다는 점을 알고 이미지 메이킹을 한건지 궁금해졌다. 삼일 째 고용면접을 보고 있다는 송대표는 일이 많은지 눈을 반쯤 감은 것 같은 표정이었다.

"지원 동기는요?"

"푸릇푸릇의 상호명이 정해진 계기가 좋았습니다. 환경 관련 회사인 줄 알았는데 번역 회사였더라고요. 푸릇푸릇한 잔디를 심는 마음으로 번역을 해서 고객에게 도움을 준다고 하셨잖아요." 어느새 대표가 눈을 빛내며 말했다.

"아 그거요? 인터뷰 기사가 조금 잘못 나갔네요. 프리랜서 번역가 시절에 번역을 해서 고객에게 주면 빨간색으로 표시되어 오는 수정요청 표시 있잖아요. 언젠가부터 고객들이 내가 제출하는 번역물에 그어서 보내는 빨간색 표시가 징그럽게 느껴져서, 빨간색은 생각도 안 나게 상호명을 보색인 파랑, 초록이 생각나도록 '푸릇푸릇'으로 정한 건데."

할말이 없게 대답을 해 놓고 재미있다는 듯이 씨익 웃는 송대표의 얼굴을 보니, 연우는 왠지 모를 오기가 생겼다.

"인터뷰 기사의 오류 덕분에 제가 여기에 왔네요. 기사의 오류가 제겐 기회가 된 것처럼, 실수를 기회로 만드는 번역을 하겠습니다."

송대표가 '음' 하는 추임새로 긍정도 부정도 하지 않고 마주보는 표정이 꼭, '번역일 많이 안 해봤구나. 번역이, 세상 일이 정말 그런 식으로 될 거라고 생각해?'라고 되묻는 것 같아 연우는 기분이 상했다. 다른 회사 면접도 봐야되겠다고 생각하던 찰나, 뒷마당 담벼락 위로 노란 털뭉치가 지나갔다. 마음이란 게 요사스럽기도 하지. 고양이가 있는 근무환경을 생각하니 모든 게 용서가 됐다.

고양이는커녕 금붕어도 키워 본 적이 없었는데 왜 그렇게 고양이에게 마음이 갔는지 모를 일이었다. 사무실 뒷마당에 물과 사료를 두면 곧 서걱서걱 사료 씹는 소리가 들려왔다. 오래된 한옥집의 나무바닥이 삐걱거려 고양이에게 자극이 될까 까치발로 뒷마당 앞까지 가서 고양이 밥 먹는 뒷모습을 훔쳐보다가 못 참고 고양이를 부르면, 고양이가 돌아보기도 하고 돌아보지 않을 때도 있었다. 어느 날은 연우가 고양이 밥그릇을 들고 부엌에 갔다가 마당에 나

왔는데 고양이가 꼬리를 말고 앉아서 기다리고 있었다. 그렇다고 가까이 오지는 않았다. 조금이라도 둘 사이의 거리가 좁혀지면 바로 일어나서 담벼락 위로 피신했다. 그 세 뼘 반의 거리를 없애 보려고 연우는 갖은 애를 썼다. 이리 오라고 손을 살살 흔들어 보기도 하고, 손가락 하나만 내밀어 보기도 했다. 고양이에게 안 먹힐 리가 없다는 츄르를 뜯어 살짝 누르고 내용물을 바닥에 한 방울 떨어뜨려 보았다. 고양이는 미동도 없었다. 안전거리 밖에 앉아서 연우의 눈을 바라보며 깜박이는 것이 유일한 친밀감의 표시였다. 그런데 희한하게도 '가지마'라는 말은 알아듣는지, 뒤돌아 가다가도 '왜 가, 가지마'라고 하면 고양이는 천천히 앞발을 쭉 벌었다가 못이기는 척 다시 돌아와 앉았다. 그런 고양이를 두고 어쩔 수 없이 책상 앞으로 되돌아 갈 때, 고양이 눈 앞에서 문을 닫을 때마다 미안함이 몰려왔다. 드르륵 소리를 내는 문 앞에 고양이는 그대로 앉아서 눈만 연우를 향했다. 늘 고양이와 놀던 자리에서 아쉽게 일어섰지만 고양이는 연우 마음이 아쉬운지 개운한지 알 리가 없을 터였다.

사무실 이사 소식이 발표되자 직원들은 대부분 기뻐하는 눈치였다. 잠깐 미팅하러 방문하는 손님들이야 한옥이 고즈넉하고 운치 있다고 말했지만 막상 겪어보면 손이 많이 가는 것이 한옥이었다. 여름에는 마당에 잡초가 우거져서 잡초 제거가 연례 행사였고 겨울에 눈이 오면 골목길 초입부터 사무실 입구까지 빗자루로 눈을 쓸어야 했다. 하지만 연우는 마냥 기뻐할 수 없는 입장이었다.

이사 소식을 고양이에게 전할 수 없다는 것이 큰 고민이 되어 마음이 무거웠다. 이 참에 고양이를 데려가 키우는 것이 어떻겠냐고 누가 장난 반 진담 반으로 이야기했지만, 그것도 불가능했다. '나 이사 가'라는 말과 마찬가지로, '나와 함께 살래?'라는 질문도 사람 말을 모르는 고양이에게 이해시킬 수 없었다. 좀 친해졌다고 의사도 묻지 않고 케이지에 고양이를 넣어 집에 데려가는 건 더더욱 생각할 수 없었다. 아직 연우와 고양이는 서로를 조심스레 살피는, 말하자면 '썸 타는' 사이였다.

"고양이랑? 낭만적이네. 바쁘다고 소개팅은 안 하면서 고양이랑 썸 타고 있었구나."

전화기 너머로 미지가 웃으며 말했다. 불금이라 다들 칼같이 퇴근한 덕에 맥주를 한 캔 하며 고양이가 좋아하는 음악을 검색해서 들려주고 있었다는 말에도 연우가 농담을 한다고 생각하는 눈치였다.

"그것도 무려 하프 음악이라고. 고양이가 하프 좋아하는지 알고 있었어?"

미지는 그걸 모르는 사람도 있냐고, 요즘 고양이들 사이에선 하프가 대세라고 맞장구를 쳤다. 그나저나 이사 가는데 고양이와 작별을 못해서 애가 탄다는 말에는 뭘 그런 걱정을 하냐는 듯 말했다.

"왜 작별 인사를 못해? AI랑도 수다 떠는 시대에 안 되는게 어디 있어?"

미지는 AI 신봉자였다. 나날이 업데이트되는 AI 관련 소식을 전해주는 미지 덕에 연우도 번역에 요긴하게 AI 툴을 사용할 수 있었다.

"앱 있잖아. 고양이 키우는 친구가 고양이 말을 번역해주는 앱 쓰던데? 그거라도 한번 써봐."

고양이어 앱이라니. 이제는 사뭇 진지하게 조언을 건네는 미지가 장난을 치는 건지 진심인지 연우 쪽에서 분간하기 어려웠다. 하긴, 연우가 외계인에 꽂혀 외계인 얘기만 했던 시기에도 미지는 첨단 기술의 도움을 좀 받아 보라고 성화였다. 때마침 네이버 카페들이 개설되기 시작하던 그 시절에 "외계인의 존재를 믿는 사람들의 모임"이라는 카페가 있다고 알려준 것도 미지였다.

백여명 남짓 가입한 외계인 카페에는 FBI에서 지구에 불시착한 외계인을 관리하고 있다느니, 외계인에게 납치당한 사람들의 증언이 있다느니, 하는 음모론 같은 이야기들이 판을 쳤다. 정작 연우가 궁금했던 건 따로 있었다. '외계인은 지구인 말을 하나요?' 처음으로 게시한 질문에 대한 답변이 꽤 달렸다. '당연히 하죠. 우리보다 지능이 높으니까요.' '그걸 말이라고, 거 순진하네. 지구에 스파이로 숨어들어온 놈들이 얼마나 많은데. 너보다 한국말도 잘할 거다.' '여기 오려면 해야지, 외계인이라고 별 수 있나' 등. 외계인이 지구 말을 한다니, 왠지 맥이 탁 풀리는 것 같은 기분이 들었다. 그럼 외계인도 날씨 이야기나 차 조심하라는 것 같은, 뻔한 얘기를 할 텐데. 버전이 조금 달라져서 행성 이야기를 하거나 비행접시 조심해서 몰고 다니라고 한들 그게 그거였다. 외계인을 만나도 스몰 토크를 잘 해야 한다면 그들과도 친구가 되긴 어렵겠구나 생각했다.

스몰 토크라는 말은 누가 만들었을까? 어색한 침묵을 채우는 오디오, 쌓여가는 의미 없는 말들, 스쳐 지나가는 것들. 연우는 너무 작아서 가치가 없다고 생각했던 날씨 이야기, 누가 새로 산 다이어리, 어제 가요대전에서 우승한 가수 이야기가 나올 때 마다 고개를 끄덕이거나 미소로 말을 대신하고는 익숙한 침묵으로 피신했다. 침묵 안에 더 많은 이야기가 있었고, 숨을 쉴 수 있는 공간이 있었다. 그렇지만 점차 시간이 지나면서 일상적 대화의 규칙을 잘 읽지 못하게 되어 곤혹스러워졌다. 한 번 길을 헤매기 시작하자 미궁에 갇힌 것 같았다. 자갈인 줄 알았던 것이 쌓여 큰 바위가 되어 있었다. 지구 사람들 틈에 섞여 일상적 대화를 나누고 농담도 곧잘 하는 외계인과 스몰 토크가 낯선 연우 중 누가 진짜 외계인 같을지 알 수 없었다. 그렇게 카페에 발을 끊고나서 다시 외계인에게 관심이 간 것은 한참 후의 일이었다. 주로 사람의 언어를 사용하지는 않지만 음악이나 표식처럼 말이 아닌 다른 것으로 사람과 교감하고 소통하는 외계인이 나오는 책과 영화를 보고 난 뒤였다.

퇴근길 지하철은 징글징글하다는 말이 무색할 정도로 붐볐다. 어깨가 굽은 건 컴퓨터 앞에 오래 앉아 있어서라기 보다 만원 지하철에서 온몸을 구겨 어떻게든 끼겨보려는 게 습관이 된 탓인 것 같았다. 연우는 요즘 사는게 꼭 만원 지하철을 타는 것과 같다고 생각했다. 내 옆구리에 옆 사람 팔꿈치가 닿고 앞사람이 백팩이라도 매고 온 날에는 명치가 답답해지는 것을 피할 도리가 없이 같이 흔들리고 부대껴야 어디론가 갈 수 있었다. 사람들은 매일 체념한 듯이, 당연하다는 듯이 지옥철을 타고 다녔다. 연우는 사람과 사람 사이에 필요한 최소한의 물리적 거리에 대해 생각하며 고양이를 떠올렸다. 늘 세 뼘 반의 거리를 유지하는 고양이는 얼마나 운이 좋은지. 그럼에도 세 뼘 반은 과하게 럭셔리한 게 아닌가 하고. 바로 그 거리감이 고양이를 매력적으로 만들어줬다. 나의 공간을 지키고 너의 공간을 침범하지 않으면서도-혹은 상대방의 공간에 은근 슬쩍 들어가 앉아서도 안전거리를 확보하며-서로를 기다리고 응시하고 궁금해하는 놀라운 소통을, 상대가 고양이가 아니라면 할 수 있을까? 외계인이라면 할 수 있을지도 몰랐다. 그러나 당장 연우가 원하는 건 이사 소식을 고양이에게 전하는 것이었다. 급한대로 고양이어 번역기를 찾아보기로 했다.

'트랜스 캣'라는 외국 앱이 가장 유명한 고양이 번역기 같았다. 앱을 열고 고양이 울음소리를 녹음한 후에 업로드하면 앱에서 고양이가 하는 말을 유추해서 화면에 띄워주는 방식으로 작동한다고 했다. 인터넷 후기를 찾아보니 이 번역기를 돌렸을 때 고양이가 아프다고 표현했다는 결과를 보고 병원에 데려가 검사를 했더니 실제로 건강 상의 문제가 있어 수술을 받았다는 경험담이 있었다. 누군가 번역기를 돌려 나온 말들을 리스트업 해 놓은 블로그도 있었는데, 리스트에는 대부분 '엄마 사랑해', '놀아줘', '왜 이렇게 늦었어' 등 고양이의 행동을 보고 사람들이 짐작할만한 말들이 있었다. 집고양이들은 이런 말을 하는구나 생각하며 읽는 중 특이한 문구가 눈에 띄었다. '고마웠어'였다. 고마워가 아니라 고마웠어라니. 고양이가 과거형으로 말할 수 있나? 연우는 순간 고양이의 시제 사용에 대해 궁금해하는 스스로가 우스워 잠시 웃었다. 하지만 어디서 어디까지가 우스운 일인지 생각해보려면 한도 끝도 없었다. 오늘 아침 고객사와 주고받은 계약서에 들어간 번역료 숫자에는 쉼표가 잘못 찍혀서 금액이 틀린 줄 알고 혼비백산했었다. 그렇게 정신없는 오전을 보내고 들어간 식당에서는 순두부 수육 국밥을 시켰더니 해물 순두부가 나왔다. ABC와 가나다 사이의 수많은 오해들을 어떻게든 이해의 영역에 밀어넣는 것이 연우가 하는 일이었는데도 오해가 오해라는 걸 알아채기까지는 늘 시간이 걸렸다. 계약서에 잘못 찍힌 쉼표나 점심 메뉴 착오 같은 오해가 일상을 점령하고 있었다. 고양이가 과거형으로 말할 줄 안다고 생각하면 오해일 거고, 현재형으로만 말한다고 생각하면 그것도 오해일게 틀림없었다. 결국 번역기도 그 나름대로 혼란을 불러올 터였다. 그렇다고 해서 번역기가 아예 쓸모없을 거라고는 생각하지 않았다. 작년 여름을 떠올리면 진작에 번역기를 사용할 걸 하는 생각도 들었다.

여름 휴가를 마친 연우가 출근을 하는 길에 먼저 출근한 동료, 주원의 휴대폰 메시지가 왔다. 메시지로 온 동영상을 열어본 연우는 반쯤 탄성을 내지르다가 급히 입을 다물었다. 영상 속에 먼저 모습을 드러낸 익숙한 꼬리의 고양이를 보며 연우가 반가워하는데 뒷마당의 우거진 풀숲에서 바스락 소리가 났다. 고양이 앞에서 저렇게 엉성하게 구는 쥐도 있나 의심하던 중 풀숲을 뚫고 새끼고양이가 나오는 순간, 지하철 내부가 온통 풀밭으로 보였다. 연우는 그날 어떻게 회사에 도착했는지 기억이 잘 나지 않았다. 그리고 그해 여름부터 가을까지는 내내 고양이와 공동 육아를 했다. 사료와 물이 떨어지지 않도록 했고, 가끔 보양식 사료도 줬다. 조그만 야옹 소리, 털뭉치들이 잡초 위에 굴러다니는 소리는 매미 울음소리나 풀벌레 소리와 섞여도 선명하게 들렸다. 그런데 간혹 야옹 소리를 가리고 '빽빽'하는 새 소리가 알람처럼 울려올 때가 있었다. 왠지 모르게 다급하게 들리는 새 소리는 '동물의 왕국'에서 뱀이 새 둥지를 공격할 때 나는 소리와 비슷하게 들렸다. 그럴 때마다 연우는 '설마 고양이가' 하면서도 고양이와 새를 동시에 좋아하는 것이 가능할까 생각했다. 그 광경을 본 건, 고양이가 더 좋으니 새들 사정까지는 어쩔 수 없다고 결론을 낸 뒤 얼마 지나지 않아서였다.

꼬부라진 깃털들이 앞마당에 흩뿌려져 있었다. 깃대로 만든 펜을 생각하며 참 예쁘다고 생각하다가 신발을 놓는 댓돌 바로 앞에 고양이가 두고 간 것을 발견했다. 연우는 몇 분을 우왕좌왕하다가 삽을 찾아 까치를 묻었다. 고양이의 보은이라는 말이야 많이 들어봤지만, 이런 일을 직접 겪을 줄은 미처 몰랐다. 명절에 백화점에 진열된 한우선물세트, 카카오톡 치킨 기프트콘, 손질이 잘 된 회한접시가 아니라 아직 온기가 남아있을, 얼마 전까지 새였던 것을 선물로 받았다. 회사 마당에서 두어 번 더 삽을 들게 되자 뭐라도 해 봐야겠다는 생각이 들었다. 네이버 지식인에 검색해 보니 고양이에게 안된다고 말해주는 것이 유일한 방법이라고 했다. 도대체 그걸 어떻게 말해야 하는지에 대한 답변은 달리지 않았다.

며칠 후 연우는 고양이를 다시 마주쳤을 때, 유치원생에게 말하듯 마음은 고맙지만 새와 쥐는 주지 말라고, 사람은 그런 걸 먹는 게 아니라고, 마당이 그리 넓지 않아서 땅을 계속 팔 수는 없으며 송대표가 알면 큰일난다고 또박또박 천천히 알려줬다. 안된다고 할 때는 팔로 엑스자도 만들어가며 힘을 주어 말했다. 고양이가 별다른 반응 없이 연우를 쳐다보는 가운데 그 둘을 지켜보던 주원이 쿡쿡 웃는 소리만 들려왔다.

고양이가 연우의 말을 알아들었는지 몰라도 앞마당에 놓아 둔 선물이 없어지는 걸 몇 번 경험한 뒤로 다시 동물의 사체를 놓아두는 일은 없었다. 미지는 고양이가 선물을 준 게 아니라 사냥 본능에 충실했던 거라고 말했다. 죽은 까치가 없어진 걸 본 고양이의 얼굴에 일면 당황한 빛이 어렸던 걸 보면 새끼들에게 사냥 연습을 시키는 것 같기도 했다. 연우를 경악하게 한 것들이 고양이의 선물이었는지, 본능이었는지, 사냥 실습이었는지는 알 수 없었다. 몇 년 전 얼굴도 가물가물한 전 남자친구와 봤던 영화 <컨택트>가 생각났다. 전세계에 나타난 우주선과 외계인 때문에 난리가 난 지구에서 언어학자 루이스는 외계인의 언어를 분석해서 그들이 지구에 온 목적을 알아내고자 한다. 노력 끝에 "무기의 제공" 등으로 오역되어 전쟁을 일으킬 뻔했던 그들의 말이 사실은 "선물을 주는 것" 임을 밝혀낸다. 연우는 외계인처럼 고양이가 가져왔던 것들도 어쩐지 선물이었으면 좋겠다는 생각을 했지만, 이내 고개를 저었다. 헤어진 연인과 보낸 시간처럼, 선물이라고 믿었지만 아니었던 것들이 떠올랐다.

#2

번역 앱을 띄운 휴대전화를 한 손에 들고 쪼그려 앉으니 어딘가 어색했다. 연우가 평소의 편안한 모습이 아니라는 것이 고양이에게도 전달이 되었는지, 고양이는 고양이대로 눈을 크게 뜬 상태로 연우를 살피고 있었다. 연우는 애가 탔다. 고양이가 뭐라고 말을 해야 번역기를 돌리기라도 할 텐데, 고양이는 야속하게도 야옹 한번을 안 했다. 고양이는 원래도 별 소리를 안 냈다. 말을 하는 건 늘 연우였다. 안녕 고양아! 오랜만이야. 아이 예뻐. 어쩜 그렇게 예뻐? 괜찮아, 이것만 두고 갈게. 가지 말고 밥 먹어. 맛있어? 많이 먹어. 그러다가 고양이가 눈을 깜박이기 시작하면 연우도 별다른 말을 하지 않고 눈을 깜박이는 것이 루틴이었다. 번역기가 소용이 없다니, 엉뚱하게도 첨단 기술에 대한 배신감이 치솟아 화가 났다가 힘이 빠졌다. 다리가 아프고 어정쩡하게 뻗은 팔도 무거워지기 시작했다. 그래서 그냥 하고 싶은 말이라도 실컷 하기로 했다.

"고양아, 너 고양이 아니고 사람이지?"

고양이가 침착하게 듣고 있는 걸 보니 사람은 아닌 모양이었다.

"나 이사가. 이사가 뭔지 알아? 다른 데로 가서 여기로는 다시 안 오는 거야. 지금 이거 영상으로 찍는 거야. 너 기억하려고."

고양이는 한참을 문 앞에 앉아있었다. 연우의 말이 길어지자 고개를 다른 쪽으로 돌리기도 하고 하품도 했지만, 그 자리에서 이동하지는 않았다. 늘 그랬듯 연우가 고양이보다 먼저 일어서며 생각했다. 사람 말을 고양이에게 전달해주는 번역기는 없을까?

그날 꿈에서 연우는 이름도 얼굴도 모르는 죽은 작가의 무덤 앞에 앉아 있었다. 무덤과 연우 사이에 종이가 누렇게 변색된 노트가 하나 있었다. '여기 고양이가 갇혀 있어.' 누군가 말한 것 같았는데, 말한 사람은 없었다. 무덤가에는 고양이도 새도 맹수도 사람도, 숨이 붙어있는 것은 아무것도 보이지 않았다. 작가가 살아 생전 쓰던 노트를 펼쳐 글이 끊긴 부분까지 읽은 연우는 펜을 들었다. 펜이 얼마나 부드럽고 빠르게 지면을 훑던지 페이지가 휙휙 넘어가는 소리가 적막을 채웠다. 그리고 마지막 마침표를 노트에 찍어 넣은 순간 바닥이 흔들렸다. 무지막지하게 흔들리는 땅 위에 웅크려 무덤이 갈라지려나 생각하고 있는데, 어디서 검은 고양이 한 마리가 톡 튀어나왔다. 얼굴에 콧수염이 나 있는 것처럼 생긴 턱시도 고양이었다.

"안녕, 답답해 죽는 줄 알았네. 나를 꺼내줘서 고마워."

턱시도 고양이는 작가가 소설을 쓰다가 죽는 바람에 미완이 된 이야기 속에 백 년을 갇혀 있었다고 했다. 연우가 '그랬구나, 힘들었겠다' 하며 혀를 찼다. 고양이는 꽤 수다쟁이였다. 그동안 말을 못한 나머지, 이야기를 해도 해도 허기가 지는 모양이었다. 어느 순간 고양이는 컨택트에 나오는 다리 일곱개인 외계인, 헵타포드가 되어 일곱개의 촉수로 무수히 많은 원을 만들어냈다. 원 하나하나가 고양이가 하는 말일 텐데, 얼마나 대화 상대가 그리웠으면 저럴까 싶어 측은하면서도 쏟아지는 말들을 보며 서 있자니 아찔해졌다. 연우는 이제 가속도가 붙어 빗발치듯 여백을 메우는 원 사이에 발 디딜 틈이 없음을 느끼며 필사적으로 소리쳤다.

"잠깐만 고양아!"

연우의 목소리를 들은 헵타포드는 다시 턱시도 고양이가 되었다. 하고 싶은 이야기를 다 쏟아냈는지 만족한 얼굴의 고양이가 연우를 보며 말했다.

"자, 명색이 은인인데, 이제 원하는 걸 말해 봐."

"한 가지만? 보통 세 가지는 들어주던데."

턱시도 고양이가 언짢은 기색으로 꼬리를 바닥에 튕기며 말했다.

"나는 램프의 요정이 아니라 고양이야. 그리고 한 가지 선물은 이미 줬으니 그걸 잘 사용하란 말이야. 이제 다른 한가지만 똑바로 말해봐."

그래도 구해준 사람인데 소원 좀 더 들어달랬다고 이렇게 을러대다니. 그리고 이미 준 선물은 또 뭐란 말인가? 뭔지 알려줘야 잘 쓰던 못 쓰던 할 텐데. 연우는 기가 막혔지만, 어쩔 수 없었다. 말하는 턱시도 고양이-헵타포드를 때맞춰 만난 건 연우에게도 행운이었다. 고양이가 다시 헵타포드로 변해버릴까 봐 연우는 단숨에 소원을 말했다.

"편지를 전해줘."

그렇게 해서 연우는 마당에 오는 고양이에게 편지를 쓰게 됐다. 꿈에서 턱시도 고양이에게 전달을 부탁했던 편지를 꿈에서 깨어 쓰는 격이었다. 스스로도 어처구니가 없었지만 편지를 써 보는 것도 좋겠다고 생각했다. 말을 하거나 앱을 사용해 전하지 못했던 마음이 목에 걸린 듯 혀에 걸린 듯해서 괴로웠는데, 어쩌면 편지가 도움이 될 것도 같았다.

고양아, 안녕.
편지로 전달하는 이 마음이, 우리가 눈을 마주보며 주고받은 시간 속에 너에게 이미 닿았기를 바라. 그럼에도 작별 인사를 제대로 하지 못해서 네가 오해하거나 속상해할까 봐 걱정이 되는 거 있지. 만남, 이별, 작별 같은 건 사실 우리에게 그다지 중요하지 않은 것일수도 있고, 이 편지도 사실은 내 마음 편하자고 쓰는 거라는 걸 알아. 이별의 아쉬움을 어떻게 하지 못해서 너를 괴롭히는 게 조금은 덜 미안할 수 있도록, 한편으로는 너도 나의 부재를 아쉬워하기를 바라는 마음이 있어. 다른 한편으로는, 이 편지를 통해서 인

류의 사고에 매인 내가 이별을 겪으며 하고싶은 말을 전해 보려고 해. 혹시라도 네가 편지를 보게 되면 아, 사람은 이렇게 생각하는 구나 하고 알 수 있게 말이야.

고양아, 나는 너를 계속 고양이라고 불렀어. 너에게 따로 이름을 지어주지 않았던 걸 다행이라고 생각해. 만약에 내가 너에게 이름을 지어주고 그 이름을 주야장천 부르다가 이사를 갔다고 쳐. 더이상 그 이름을 아무도 부르지 않을 거 아니야? 그럼 너는 어쩌면 서운했을지도 모르잖아.

언제나 너를 '고양아' 하고 불렀던 또다른 이유는 고양이 하면 떠오르는 게 바로 너라서였어. 우리 동네에 내가 어렸을 때부터 있었던 '빵집'이라는 빵집이 있는데, 정말 기가 막히게 맛있는 빵들이 나오는 곳이야. 나는 곰보빵, 크림빵, 단팥빵, 초콜릿 케익, 마들렌 다 거기서 처음 먹었어. 다른 맛있다는 베이커리에 많이 가 봤어도 빵집 하면 떠오르는 곳은 그 가게 하나뿐이야. 마찬가지로 마당에 밥을 먹으러 오는 여러 고양이 중에서 나와 눈 마주치고 같이 시간을 보내고 눈키스를 날렸던 고양이는 딱 하나, 바로 너니까 나에게 고양이 하면 떠오르는 게 너였던 거야.

고양아, 네가 늘 유지하는 세 뼘 반의 거리를 나는 정말 반 뼘이라도 좁혀보고 싶었는데, 또 그러지 않았으면 했어. 사람들과는 그런 게 잘 안되거든. 사람들 간의 거리는 늘 조금씩 멀어지거나 좁혀져서 다시 안 보게 되거나 평생 봐야 하는 그런 관계가 대부분이야. 그래서 나는 우리 사이에 견고하게 자리한 그 세 뼘 반의 거리가 정말이지 든든했어. 별 일이 없다면 너와 오랫동안 친구로 지낼 줄 알았거든. 그래서 사무실 이전 결정이 되었을 때 나는 갑자기 친구를 못 보게 된다는 통보를 듣게 된 셈이라 많이 당황했어. 인생은 계획하지 않았던 일 투성인데, 왜 이사나 퇴사를 생각하지 못했던 걸까? 아니, 그것도 그렇지만 너에게 이사 간다는 말을 어떻게 전해야 하는지 고민하게 되면서 새삼 떠올리게 된, 우리가 다른 언어 사용자라는 사실이었어. 그건 너무나 이질적인 느낌이었지.

고양이들이 사용하는 언어에 과거 시제가 있는지는 잘 모르겠어. 그런데 나는 그럴 것 같다는 생각이 들어. 너는 나를 기억하고, 심지어 내가 늘 쓰고 다니는 동글이 안경을 쓰지 않고 만나는 날에도 언젠가부터 나를 보면 사료보다 나를 먼저 찾았어. 우리가 함께 눈을 마주쳤던 시간들을 너는 기억한 셈이잖아. 살면서 참 많은 사람들의 눈을 보고 이야기를 나눴지만, 누군가의 눈을 그렇게 깊고 조심스럽게 들여다본 경험은 해 본적이 없었어. 너와 마주앉아 마음을 나누는 순간 감각했던 우주를 표현할 수 있는 말은 사람의 언어로는 없는 것 같아. 고양이 말로도 없지 않을까? 그럼에도 이야기해 주고 싶어. 우리가 함께 한 시간들에 나는 그 어느때보다도 살아있었어. 아침 출근길에 급하게 걷는 사람들 틈새에 끼어 발꿈치가 밟히거나 지하철을 놓치지 않으려고 뛰다가 넘어져 까지고 멍이 든 것도, 저녁시간에 진행하기로 예정된 까다로운 고객과의 미팅도 너와 눈을 마주하는 순간엔 의식 저 밖으로 밀려났어. 다른 사람이나 고양이가, 혹은 외계인이 들으면 장난 같을 말이지만 말이야.

고양아, 선물 같은 나날들을 함께 해 줘서 고마웠어. 늘 건강하게 잘 지내.

#3

이사를 가기 전 며칠은 분주했다. 무료 나눔 사이트를 통해 고양이 사료를 가져갈 사람을 찾고, 연우가 입사하기 전부터 마당 한 켠에 자리잡고 있던 작은 판자로 된 고양이 집을 내다 버릴까 하다가 그냥 두기로 했다. 다음 세입자에게 고양이 밥을 부탁하려고 썼던 쪽지는 망설이다가 가방 한 켠에 넣어두었다.

한옥에서 요리 교실을 운영할 생각이라는 나이 지긋한 아주머니가 사무실을 구경하러 온 날, 연우는 아주머니가 고양이를 좋아하는 사람인지 알아보려고 촉각을 곤두세웠다. 송대표와 아주머니의 대화에 온 신경을 집중했지만 구형 에어컨 소리가 제법 큰 탓에 오가는 말의 반도 제대로 듣지 못했다. 두 사람의 목소리가 간혹 커질 때 알아들은 것은, 이달 셋째 주까지 사무실을 비워달라는 아주머니의 요청과 그 날짜 안에 이사 준비를 하기에는 새로 들어갈 사무실 인테리어가 끝나지 않았다는 송대표의 답변 정도였다. 곧이어 사무실 월세 이야기가 이어지고 가져갈 가구와 놓고 갈 가구에 대한 지극히 예의 바른 논의가 들려왔다. 긴 시간동안 들려온 사무적인 이야기를 견뎌낸 끝에 아주머니가 드디어 연우가 있는 쪽의 공간을 보러 왔다. 놓치면 안되는 기회였다.

"사무실 안내 좀 해 드릴까요? 아, 문 열어 보셔도 돼요. 화장실 창문에서도 마당이 보여요. 이 쪽이 뒷마당 문인데요, 5월이 되면 담벼락 장미가 정말 예쁘게 펴요."

드르륵 하고 문을 연 순간, 연우의 눈에 가장 먼저 보인 건 담벼락 앞 작은 계단 위에 앉아있는 고양이였다. 근래 들어 계속 못 보다가 겨우 만난 고양이인데, 손님 앞이라서 고양이에게 인사를 하기가 어려웠다. 낭패라는 생각을 하고 있는데, 아주머니가 '네, 이제 문 닫으셔도 돼요' 하며 직접 문을 닫았다. 집을 보러 온 사람이 문을 직접 닫는 경험은 처음이라 당황스러웠다. 아무래도 이 분에게 고양이 밥을 부탁하기는 어려울 것 같았다.

사료를 받기로 한 사람과의 약속 시간을 얼마 남겨두고 연우는 잠시 동네 산책을 나섰다. 골목 사이에 새로 생긴 카페에서 한옥 동네와는 다소 어울리지 않는 노랫소리가 들렸다. 연우가 출근하는 길에도 대기 줄이 길게 늘어선 그 카페 앞에, 이번에는 단체 관광객이 모여 한 무리를 이루고 있었다. 조금 더 동네 위쪽으로 올라가자 좁은 거리 곳곳에도 사진을 찍는 이들의 모습이 보였다. 양옆으로 늘어선 한옥들은 특유의 고즈넉함을 빼앗긴 양 초조해 보였다. 대문에, 혹은 거리에 붙은 팻말에는 '조용히 해 주세요', '주거지입니다', '정숙' 등의 문구가 씌어 있었다. 나들이를 즐기려는 외지인과 주거지의 평온함을 지키려는 주민의 입장 모두 이해가 갔다. 주민도 아니고 방문객도 아닌 연우 본인은 그 사이 어디쯤 있을까 하는 상념이 그 간 이사준비를 하며 쌓인 피로와 겹쳐 꿈 속을 걷는 듯했다.

#4

영남은 이틀째 짐 정리를 하느라 뻐근한 허리를 두드렸다. 긴 목재 탁자 위에 늘어놓은 짐만 창고 안으로 옮기면 거실 정리는 얼추 될 듯했다. 집을 보러 왔을 때 가장 마음에 들었던 것이 바로 이 탁자였다. 편안한 목재의 느낌이 신선한 재료와도, 완성된 요리에도 잘 어우러질 것 같았다. 요리 교실을 운영하기에 제격이었다. 오후 늦게부터 비가 온다더니, 두 시가 조금 넘은 시간인데 비가 오기 시작했다. 처마를 타고 내려오는 빗소리는 예전에 살던 건물에서 듣는 것 보다 선명하게 울렸다. 영남은 날씨가 궂어지자 통증이 오는 무릎을 한 번 어루만졌다. 작년가을에 여느 때처럼 길을 걷다가 공연히 넘어진 이후로 비오는 날이면 관절염이 더 심해졌다. 천천히 움직이느라 바깥 풍경을 좀 보려고 열어 두었던 문을 다 닫는데도 시간이 좀 걸렸다. 그래도 곧 아들 내외가 온다고 했으니 한숨 고르고 정리를 마쳐야 했다. 자식들이 몸도 성치 않은데 혼자 일을 다 하지 말라고 성화여도, 남편이 세상을 떠난 후에는 누군가에게 도움을 청하는 것이 편치 않았다.

창고 문을 열다가 문득 문 뒤에 걸리는 것이 느껴져 살펴봤더니 작은 에코백이 있었다. 사무실로 썼던 공간이라 그런지 에코백에는 명함과 인쇄물, 점심 영수증 같은 것들이 들어있었다. 혹시 중요한 서류가 있는지 보려고 가방 안까지 살피는데 종이 두어장이 겹쳐져 반으로 접혀 있는 것이 손에 잡혔다. '고양이에게'로 시작하는 편지였다. 읽어보니 전에 여기서 지내던 사람 중 고양이와 정을 붙였던 직원이 있었던 것 같았다. 마지막 문장까지 읽고 나서야 문득 남의 편지를 들여다봤다는 사실에 생각이 미쳤다. 수신자가 사람이 아닌 고양이라고 하더라도 남의 편지인 건 마찬가지였다. 살아 생전 공원으로 함께 산책갈 때면 윤석이 길고양이에게 주려고 참치캔을 사서 길 한 구석에 놓아줬던 기억이 났다. 그것도 부족했는지 윤석은 벤치 위에 앉아있는 고양이를 만나면 한참 쓰다듬어 주곤 했다. 개든 고양이든 털 달린 동물이라면 질색하는 영남이 병 옮는다고 잔소리를 해도 윤석은 만면에 영남이 좋아하는 웃음을 지으며 절대 굴하는 일이 없었다. 윤석이 이 편지를 봤으면 어떻게 했을까? 아마 고양이가 마당에 온다는 걸 알고는 신이 나서 고양이를 찾았을 것이다. 임종하는 윤석의 손을 꼭 잡고 있었는데도 영남은 제대로 작별을 한 것 같지가 않았다. 그래서인지 잠결에 언뜻언뜻 스치는 남편에게 말을 걸려고 하면 곧 잠에서 깨는 일이 몇 년 새 여러 번 반복됐다. 처음엔 슬퍼서 눈물이 났다가 이제는 남의 속도 모르고 웃으며 나타났다가 사라지는 윤석에게 화가 나서 눈물이 나려고 했다.

영남은 고양이를 찾아보기로 했다. 작별인사가 담긴 편지를 고양이에게 전해주고 싶었다. 영남이 하지 못한 잘 가라는 그 평범한 말을, 고양이를 그리워할 누군가는 전할 수 있게 해주고 싶었다. 고양이가 편지를 읽는 것도, 영남이 읽는 편지를 이해하는 것도 불가능하겠지만 우선 고양이를 보면 어떻게 해야 할지 알 수 있을 것 같았다. 전날 비가 온 뒤로 공기가 눅눅해질까 봐 최대한 닫아두었던 뒷마당 문을 열었다. 문을 활짝 열자 마당 구석에 놓여 있는 고양이 집이 보였다. 이전 세입자들이 깜박하고 치우지 않은 모양이었다. 평소였다면 짜증이 날 법도 한데, 편지를 읽고 봐서 그런지 오히려 반가웠다. 근처 마트에서 참치캔을 하나 사서 일회용 접시에 내용물을 부어봤다. '고양아' 하고 불러봤는데 어색했다. 그래도 부르다 보면 괜찮겠지 싶어 한 번 더 불렀다. 그러다가 윤석이 했던 것처럼, '나비야' 하고 조용히 불러봤다.

녹음이 짙어진 뒷마당 풀 숲 새로 야옹 소리가 들리는 듯했다.

어린 연인 외 1편

레모

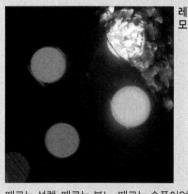

레
모

때로는 설렘, 때로는 분노, 때로는 슬픔이었던
내 안의 작은 감정들을 확장해 새로운 세계를 만들어내자
그곳엔 익숙하고도 낯선 내가 서 있었다.
어디로 가야 할지 몰라서 한참을 같은 자리를 맴돌던
그 아이의 손을 잡고 망설임 없이 빛을 향해 걸어가고 싶다.
brunch.co.kr/@pinkme

어린 연인

사람들이 빼곡하게 들어찬 출근길 지하철 안. 서하는 아까부터 자꾸만 울리는 메시지 알림이 불편했다. 어젯밤 메신저의 생일 알림 기능을 꺼둔다는 것이 깜빡 잊고 잠든 것이다.

- 서하 대리님, 생일 축하 드립니다.

- 행복한 하루 보내세요.

- 다음에 밥 한 끼 해요.

예의상 건네는 말들, 어차피 돌려주어야 하는 선물이라고 생각하며 서하는 '정말 기뻐요, 감사합니다, 기분 최고예요!' 등의 발랄한 인사말이 담긴 이미지 카드를 전송했다. 물론 '이거 정말 귀찮게 생겼네' 하는 속마음 따위는 메시지에 담지 않았다.

지하철역에 내려 회사로 걸어가던 서하는 언제부터인가 자신이 회사의 부품 같다는 생각을 지울 수 없었다. '지금 내가 없어져도 이 회사는 분명 잘 돌아갈 거야, 그렇다면 굳이 왜 내가 이곳에 있어야 하는 걸까?' 하는 맥없는 생각들이 머릿속을 맴돌았다. 맡겨진 일을 누구보다 좋아하며 야근도 마다하지 않던 신입사원 김서하의 모습은 더 이상 찾아볼 수 없었다. 하지만 당장 눈앞의 현실을 바꿀 수는 없었기에 복잡한 자신의 머릿속을 뒤로 하고 오늘도 정해진 시간에 회사에 들어섰다.

　　7층 디자인팀, 서하가 깔끔하게 정돈된 자신의 자리에 앉자 옆자리의 아미 씨가 책상 위로 작은 과자 상자를 건네 왔다.

"선배, 생일 축하해요! 당 충전용!"

"응, 고마워."

아미 씨의 소박한 선물만큼은 왠지 부담스럽지 않아서 기분이 좋아지던 그때, 누군가 서하의 책상을 가만히 두드렸다. 뒤를 돌아보니 얼마 전 신입으로 입사한 우진이 서 있었다. 언제 봐도 반듯한 인상을 주는 우진. 그가 자신의 체격과 어울리지 않는 작은 봉투를 가만히 내밀자, 서하의 눈이 커다래졌다. 이건 뭐냐는 서하의 표정에 우진은 쑥스러운 듯 잠시 시선을 아래로 내렸다가 이내 서하를 똑바로 바라보며 말했다.

"별 건 아니고, 오늘 생일이라고 들어서 근처에서 샀어요." 우진이 건넨 작은 봉투를 열어보니 작은 색연필 세트와 캔버스 노트가 들어 있었다. 서하는 오랜만에 친구에게 진심 어린 선물을 받는 느낌이 들었다.

"선배 SNS 보니까 일러스트 엄청나게 잘 그리시길래 사봤어요. 요즘은 안 그리시나요?"

"아, 요즘은 안 그리긴 하는데…" 의아해하는 서하의 반응에 우진이 두 눈을 빛내며 말했다.

"왜요? 그만두기엔 너무 아까운 실력인데요." 오랜만에 마주한 강하고 밝은 에너지에 서하는 잠시 아찔했다.

"그냥, 사회생활 하다 보니까 그렇게 됐어. 아무튼 선물 고마워." 서하가 답했다. 우진이 머쓱한지 자기 뒷머리를 몇 번 쓰다듬더니 "혹시 불편하셨다면 죄송해요. 좋은 하루 되세요."라며 꾸벅 인사하고 뒤돌아 성큼성큼 걸어갔다. '아직 사회의 때가 덜 묻어서 그런가…' 냉소적인 자신과는 달리 적극적인 에너지를 지닌 우진을 보면서 서하는 오랜만에 미대에 입학했을 때 한창 그림 그리기를 좋아하던 자기 모습이 떠올랐다. 두 손과 옷이 늘 물감으로 얼룩져 있던, 순수했던 그 시절이 생각난 것이다.

어린 시절부터 그림 그리기를 좋아했던 서하는 고등학생이 되었을 때 고민 끝에 디자인학과로 진학을 결심했다. 세상 모든 것에 온통 디자인이 담겨 있으니, 자신이 좋아하는 그림을 실컷 그리면서도 문제없이 생계유지할 수 있을 것 같았기 때문이다. 좋아하는 일과 세상에 필요한 일, 두 마리 토끼를 다 잡기 위한 판단이었다. 원하는 바를 이루기 위해 열심히 입시 미술을 준비하던 서하는 마침내 원하던 미대에 한 번에 합격하자 뛸 듯이 기뻤다. 앞으로 이렇게만 쭉 풀린다면 자신의 인생은 별다른 문제가 없어 보였다.

본격적으로 대학 생활을 시작하면서 서하는 세상이 필요로 하는 디자인이란 생각보다 창의력을 필요로 하지 않는다는 것을 알게 되었다. 그렇게 많은 사람이 원하는 디자인, 상품화되기 쉬운 보편화된 디자인을 쫓기 바쁘던 서하는 마음이 가는 대로 자유롭게 그리는 손 그림을 갈망하게 되었다. 이를 해소하기 위한 서하의 선택은 일러스트 동아리 '화(華)'였다.

서하와 재인은 그곳에서 처음 만났다. 서하가 보기에 재인은 한눈에 봐도 미술을 하는 사람이었다. 자신만의 세계를 찾아 알 수 없는 미지의 그림 속으로 혼자서 뚜벅뚜벅 걸어가는 듯한…. 이유는 알 수 없지만 서하는 그런 재인을 첫눈에 알아볼 수 있었다. 하지만 내성적이었던 두 사람은 서로 데면데면하게 인사만 나눌 뿐이었다.

어느 날 서하와 재인은 미대 교수가 제공한 전시 티켓을 계기로 함께 전시를 보러 가게 되었다. 원래는 서하와 재인을 포함한 다섯 명이 함께 가기로 했지만, 갑자기 세 사람이 급한 일이 생겼다며 약속을 취소하는 바람에 서하와 재인, 단둘이 보게 된 것이다. 그렇게 서하와 재인은 함께 그림을 감상했고 이상주의자인 재인이 그림에 대해 두서없이 이야기하면 보다 현실적인 서하가 동조하기도 하고 때로는 반론을 제기하기도 했다. 전시를 본 뒤 두 사람은 함께 저녁을 먹었고 차를 마셨고 차가 끊기기 직전까지 대화를 나눴다. 유머 감각이라곤 찾아볼 수 없는 재인이었지만 서하는 재인의 모든 말에 반응하며 웃음 지었다.

그날 이후 두 사람은 자연스럽게 특별한 사이가 되어 갔다. 매일 같이 연락하고 종종 만나면서도 둘의 관계 진전에 대해 이렇다 할 말이 없는 재인이 답답해 공원을 걷다가 문득 "그럼 우리 사귀는 걸로 할까?"라고 말한 것은 서하 쪽이었다.

*

"자, 오후 회의는 밖에서 점심 식사라도 하면서 하지?"

청유형으로 포장된 정 팀장의 명령이 사내의 적막을 깨트렸다. 20여 명의 팀원들이 멀뚱멀뚱 서로를 바라보다가 이내 "좋습니다!"라는 반응을 쏟아냈다. 이때를 놓칠세라 누군가가 넉살 좋게 "오찬 회의하는 김에 전체 조기 퇴근은 어떠십니까?"라고 외쳤다. 팀장이 눈을 가늘게 뜨더니 "까짓거 그럽시다." 했다. 흔치 않은 일이었지만 평상시 비교적 유연한 조직 문화를 지니고 있기에 가능한 일이었다. 조기 퇴근에 들뜬 사원들이 조용히 그리고 분주히 움직이기 시작했다. 재빨리 노트북을 종료하고 가방을 챙기던 지희 선배가 서하에게 다가가 나직하게 말했다.

"정 팀장, 설마 오늘 자기 생일이라고 이러시는 거 아냐?"

지희 선배의 볼멘소리에 서하가 멋쩍게 웃었다.

"에이, 말도 안 돼요. 슬슬 봄도 오고, 날이 좋아서 그러시는 거 같은데요?"

"물증은 없지만 저도 충분히 가능성 있다고 봐요. 서하 선배 일이라면 팀장님은 뭐든 무리하시잖아요." 아미 씨가 두 사람에게 다가서며 말했다.

"뭐, 배는 좀 아프지만 어찌 됐든 우린 덕분에 맛있는 거 먹어서 좋지." 지희 선배가 가볍게 화장을 고치며 대꾸했다.

"먼저 가세요. 저는 아까 선물 받은 케이크 하나 수령해서 곧 따라갈게요." 두 사람을 보며 미소 짓던 서하가 말했다.

"뭐? 그건 자기가 선물 받은 거잖아, 그러지 말고 내가 살게." 지희 선배가 가방에서 지갑을 꺼내 들었다.

"아니에요. 오늘 받은 쿠폰 중에 하나 쓰면 돼요."

"그래? 뭐… 알았어." 지희가 지갑을 도로 넣자, 아미 씨가 서하에게 "선배, 그럼 저희 먼저 가서 좋은 자리 맡아둘게요." 하며 싱긋 웃었다.

'오늘 하늘이 맑네. 오랜만에 봄기운이 느껴져.'

조금씩 따뜻해질 준비를 마친 공기를 느끼며 서하가 베이커리를 향해 걸어가는데 뒤에서 우진이 따라붙었다.

"선배, 회식 장소로 바로 안 가세요?"

"아, 응. 베이커리에 잠깐 들렀다 가려고." 서하가 돌아보며 답했다.

"그럼 같이 가요, 제가 들어드릴게요."

별로 무겁지도 않은 케이크를 들어주겠다는 우진을 보며 서하는 사람들이 오늘 왜 이렇게 친절하지, 진짜 오늘이 내 생일이 맞나 보다 생각했다. 어색해하던 서하는 이런 날이 가끔은 있어도 괜찮지 싶어서 이내 별생각 없이 즐기기로 했다.

두 사람이 건널목을 기다리는 동안 알 수 없는 침묵이 흘렀다. 서하는 왠지 건너편의 신호등이 초록 불로 바뀌는 것이 꼭 몇 시간처럼 느껴졌다. 하지만 우진은 서하의 낯선 마음에 전혀 개의치 않는 듯, 초록 불이 켜지자 "선배, 가요!" 하며 경쾌하게 걸었다. 우진의 걸음에 맞춰 서하도 움직였다.

"이 쿠폰 사용하려고요."

베이커리에 도착한 서하가 계산대에서 쿠폰을 내밀었다. 우진이 힐끔 보니 치즈케이크 쿠폰이었다.

"어? 그런데 선배, 딸기 케이크를 더 좋아하지 않으세요?" 우진이 말하자 서하가 놀라 "그걸 어떻게 알아?"라고 물었다.

"선배 항상 아이스 딸기 라테만 마시잖아요. 휘핑크림 살짝 올려서. 그래서 예상했죠."라고 답했다. "맞긴 한데…"라며 서하가 망설이자, 우진이 "이거 같은 금액대면 다른 케이크로도 수령 가능해요, 맞죠?"하고 고개를 직원에게 돌려 물었다. 그러자 직원이 "네, 맞습니다. 딸기 생크림 케이크로 바꿔 드릴까요?" 했다.

"아, 네… 감사합니다." 서하가 답하자 직원이 이번에는 "베이커리 오픈 10주년 이벤트로 레터링 서비스해 드리는데, 뭐라고 새

겨드릴까요?"라고 물었다. 서하가 "괜찮아요." 하자 우진이 "에이, 선배 특별히 서비스해 주신다는 데 받아야죠. HAPPY BIRTHDAY to S.H. 어때요?" 하며 환한 표정을 지었다. 그의 밝은 얼굴을 보며 잠깐 멈춰 있던 서하가 가만히 고개를 끄덕였다. 그리고 문득 생각에 잠겼다.

- [봄의 시작을 알리는 너의 생일날]

재인과 함께 맞은 서하의 세 번째 생일 케이크에는 그렇게 적혀 있었다.

"와, 이 글씨 뭐야. 직접 썼어?" 서하가 웃으며 묻자, 재인이 끄덕였다. 소박하지만 진심이 담긴 문장에 감동한 것을 감추기 위해 서하가 괜히 장난을 쳤다. "여기 그림이라도 좀 그려 넣지 그랬어." 재인이 처음에는 그러려고 했는데 쉽지 않았다고 답했다. 잠시 웃던 서하가 재인을 향해 입 모양을 크게 키워 또박또박 이야기했다. "고마워."

"선배, 여기 물티슈요." 우진이 서하 옆자리에 앉아 요청하지도 않은 물티슈를 건네자, 서하는 지금 자신이 오찬 회의에 와 있음을 상기했다. 회사 앞 패밀리 레스토랑에서 진행된 오찬 회의는 대체로 유쾌했다. 식사와 함께하는 회의여서인지 일 얘기와 함께 적당히 사적인 이야기가 오갔다. '요즘 뭐가 재밌냐, 그 영화 봤냐, 그 전시 봤냐, 거긴 가봤냐' 따위의 이야기로 옮겨가다가 "우진 씨 몇

살이라 그랬지?"하고 누군가 묻자, 모두의 시선이 우진에게로 쏠렸다. "스물아홉입니다." 우진이 답하자 사람들은 '역시 젊네, 좋을 때네' 하며 웃었다. 또 다른 이야기로 흘러가다가 지희 선배가 문득 "서하 씨는 연애 안 해?"하며 훅 들어왔다. 우진이 궁금한 눈빛으로 서하를 바라봤다. "아, 네… 뭐." 짧은 침묵이 흘렀다. "그래 뭐 연애 쉴 때도 있고 그런 거지. 조만간 좋은 사람 생길 거야." 지희 선배가 정리하자 금방 다양한 세상 이야기로 옮겨 갔다.

오후 4시 반. 이른 퇴근길에 나선 서하와 우진이 함께 전철을 탔을 때, 우진은 평소 퇴근길과는 비교도 안 될 만큼 한산한 풍경이 무척이나 생소했다.

"와, 이 시간에 퇴근하는 거 입사 이후에 처음이에요." 우진이 말했다. "그래, 흔한 일은 아니지." 서하가 대꾸했다. 고개를 돌리던 서하는 우진의 휴대전화에 붙어 있는 고양이 스티커를 바라봤다. 고양이도, 우진도 귀엽다고 느껴졌다.

"이 고양이 스티커는 뭐야?" 서하의 질문에 우진이 활짝 웃으며 "어? 선배 지금 저한테 처음 질문한 거 아세요?" 했다. "뭐? 내가?" 서하가 자신이 그랬었나 싶어 반문하는데 우진이 "집에서 키우는 고양이예요. 오드아이가 엄청 매력적이죠?" 하며 웃었다. 서하는 우진의 모습과 그가 자세히 보라며 가리키는 고양이 스티커를 바라보며, 바닷가에서 마주친 강아지를 말없이 쓰다듬던 재인의 모습이 어렴풋이 떠올랐다. 때마침 우진이 "선배 혹시 이 노래

아세요?" 하며 이어폰 하나를 불쑥 내밀었다.

"To love and be loved is to feel
the sun from both sides-"

재인이 겉옷 깊숙이 숨겨둔 붉은 장미 한 송이를 불쑥 꺼내며 불러준 노래를, 서하가 잊을 리 없었다. 노래를 마친 재인은 자신이 가장 좋아하는 곡을 선물해 주고 싶었다고 말했었다.

"노래 좋죠?" 우진의 목소리에 서하가 다시 현실로 돌아왔다. 왜 하필 그 노래였을까. 서하는 마음이 아려왔다.

"어? 아… 응." "왠지 선배를 보는데 왠지 이 노래가 떠올랐어요."라고 말하는 우진을 보며, 서하는 혼란스러운 마음을 숨기고 "그랬어? 좋네, 가사."라고 시큰둥하게 대꾸했다. 우진은 취미로 가끔 기타를 친다고 했다. 가끔 공연도 하니 보러오라는 말도 잊지 않았다.

환승역에서 내린 두 사람이 에스컬레이터에 올랐다. 서하 뒤에 우진이 서 있는데 앞에서 밀치는 사람 때문에 서하의 몸이 급히 뒤로 쏠렸다. 우진이 서하의 어깨를 감싸 잡아주며 "선배 괜찮아요?"라고 물었다. 서하는 우진을 똑바로 바라볼 수가 없다. 우진이 능청스럽게 웃으며 "저 이제 선배 생명의 은인이 된 거 같아요." 하고 말했다.

그날 밤, 쉽게 잠에 들지 못하고 자꾸만 뒤척이던 서하는 결국 침대맡에 놓여 있는 스탠드를 켠 뒤 우진이 선물한 색연필과 스케치북을 꺼내 보았다. 오랜만에 맡아보는 미술용품 특유의 냄새. 두툼한 종이의 질감을 손으로 한 번 쓸어보며 무언가가 생각난 듯, 침대 밑에서 자신의 낡은 미술도구함을 꺼냈다. 뿌옇게 내려앉은 먼지를 가볍게 손으로 쓸어내고 상자를 열자 바짝 말라버린 물감과 붓, 누렇게 변색된 캔버스가 보였다. 그 아래에는 먼지 쌓인 그림들과 재인이 보내온 편지, 함께 찍은 사진들이 놓여 있다. '오랜만이네.'라고 생각하며 서하가 하나둘 꺼내기 시작하자 제일 아래쪽, 재인이 그려준 서하의 초상화가 모습을 드러냈다.

어린 시절부터 서하는 종종 악몽을 꾸곤 했다. 이유를 알 수 없는 존재에게 끊임없이 쫓기는 꿈. 도망치고 도망쳐도 계속해서 이어지는 긴 꿈. 서하는 꿈속 어딘가에 숨을 수도, 이것이 꿈인 것을 알면서도 벗어날 수 없었다. 베개가 흥건히 젖을 만큼 진땀을 흘리고 나서야 꿈이 끝났다. 하지만 겨우 돌아온 현실 또한 그리 아름답지는 못했다.

서하는 늘 도달하고 싶은 세계가 있었다. 누군가에게 인정받고 싶은 마음이었던 것 같은데 그것은 때로는 가족이었고 때로는 친구였고 때로는 세상이었다. 하지만 아직 아무것도 증명하지 못한 서하에게 현실은 늘 갑갑하기만 했다. 세상 사람들은 서하를 늘 어린아이로 대했다. '그게 아니다, 네가 실수했다, 또 틀렸다, 넌 세상을 너무 모른다, 이제 너도 성인이다, 나는 네가 이제 좀 때가 좀 묻었으면 좋겠다…' 딱히 어리광만을 부리지 않는다고 생각했는데 서하를 둘러싼 모든 것이 서하를 옥죄어 왔다. 서하는 늘 연약하고 불완전한 존재, 그래서 무언가가 돌봐줘야 하는 존재였고, 서하는 그 보이지 않는 강력한 틀을 깨트리고 싶었다.

사실 서하는 그래서 오랜 시간 동경했던 순수미술을 내려놓고 디자인학과를 택한 것이었다. 보란 듯이 독립해 세상에 적응하고 싶었다. 처음에는 모든 것이 서하가 움직이는 대로, 계획대로 되어 가는 듯했고 성공한 것으로 보였지만 결국 시간이 흘렀을 때 서하는 행복하지 못했다. 현실 속에서 서하는 다시 자신의 오랜 꿈을 갈망했다. 그럴듯한 그림을 그려 세상을 놀라게 하고 스스로가 만족할 만큼 무언가에 도달하고 싶었다. 서하는 그렇게 살지 못했지만 재인은 그렇게 살아갔다. 누구보다 세상과 동떨어진 채 살아가는 그 모습은 타인이 보기에 무척 불안정하고 비틀거렸을지언정, 서하 자신보다는 행복에 가까워 보였다.

하지만 그런 재인은 언제나 가난했다. 서하가 재인을 처음 만났을 때도 가난했고, 서하가 재인과 헤어지던 순간에도 가난했다. 재인은 서하에게 처음부터 자신을 가난한 사람이라고 소개했다. 얼마나 가난하길래 자신을 그렇게 소개할 수 있는지, 어린 서하는 두려움보다는 신기한 마음이 앞섰다. 서하는 가난이 무엇인지 몰랐기에 그것이 얼마나 무서운 것인지 또 고통스러운 것인지 세상에 둘도 없는 비참함인지 몰랐다. 그저 재인이 좋았고, 재인이 바라보는 이상에 공감했다.

어느 날엔가 악몽을 꾸던 서하는 새벽에 무서운 감정에 휩싸여 재인에게 전화를 걸었다. 재인은 그 시간까지 잠을 자지 않고 그림을 그리고 있었다. 또 그 꿈을 꾼 거냐고, 재인이 서하에게 물었다. 서하는 대답 대신 흐느꼈다. 재인은 괜찮다고, 이제 여긴 도망치지 않아도 되는 현실이라고, 내가 있지 않냐고 따뜻하게 이야기했다. 서하는 재인만 있으면 될 것 같았다. 가난이 무엇인지 모르지만 재인만 있다면 가난해도 웃을 수 있을 것 같았다. 서하는 진심으로 그럴 수 있다고 믿었다.

어느 날 재인이 미술실에서 잠깐 보자고 했다. 서하는 재인이 무슨 중요한 할 말이라도 있나 싶어 내심 긴장했다. 재인은 의자에 서하를 앉혀 놓고 말없이 서하의 얼굴을 그리기 시작했다. 서하는 수줍게 웃었다. 서하의 얼굴이 완성되었을 때 재인이 말했다. 이제 악몽을 꾸지 않을 거라고, 이 그림이 너를 지켜주는 부적이 될 거라고.

그날 서하는 재인이 그려준 그림을 머리맡에 두고 잠을 청했다. 그림 덕분이었는지 그날만큼은 악몽을 꾸지 않았다. 대신 바닷가에 홀로 서 있었다. '저 깊은 바닷속으로 걸어 들어가 볼까, 여긴 꿈이라서 어차피 죽지 않을 텐데' 하고 서하는 생각했다. 하지만 발만 살짝 담갔을 뿐 깊이 들어가지 않았다. '재인이 걱정할 거니까, 여기까지만 가야지.' 아무리 꿈이더라도 서하는 재인을 걱정시키고 싶지 않았다. 현실에서도 꿈에서도 서하는 재인만을 생각했다.

이후 악몽이 아주 사라진 것은 아니었지만 횟수가 점차 줄어들었다. 자신을 불신하고 믿지 못하는 세상도 조금씩 자신과 멀어지는 듯했다. 재인이 그려준 그림은 서하 자신이 자신을 지킬 수 있을 때까지 말없이 기다려주는 것 같았다.

서하는 그렇게 한때 방 안에 걸어두고 매일 봤기에 너무나 익숙한 자신의 초상화를 바라봤다. 그 곁에 놓인 말라버린 물감을 만져보고 붓을 손에 쥐어봤다. '물감에 유통기한이 얼마나 되려나? 아직 이 물감으로도 그림을 그릴 수 있을까?' 잠시 생각에 잠겼던 서하는 고개를 젓고, 다시 상자를 굳게 닫아 침대 밑으로 깊숙이 밀어 넣었다.

*

다음 날. 회사 탕비실에서 새하얀 머그잔에 캡슐 커피를 내리고 있는 서하에게 우진이 다가왔다. "선배, 어제 잘 들어가셨어요?" "아, 응." 서하가 대꾸했다. "혹시 시간 되실 때 이거 보러 안 가실래요?"라고 묻는 우진의 손에는 모네 전시 초대권이 쥐어져 있었다. 언젠가 우진이 서하에게 취미가 뭐냐고 물어서 가끔 전시를 보러 간다고 했었는데 기억하고 있던 모양이었다. 망설이는 서하의 마음을 읽은 우진이 "괜찮은 날 알려주시면 제가 맞출게요."라고 말했다.

금요일 퇴근 후, 두 사람은 미술관 앞에서 만났다. 오랜만에 혼자가 아닌 누군가와 함께 전시 관람을 하게 되어서 어색한 서하. 하지만 미술 작품이 걸려 있는 공간으로 들어서자, 숨통이 트이는 것 같았다. 현실 세계와 단절된 공간이 주는 자유로움. 서하가 틈틈이 전시 관람을 하는 이유 중 하나였다.

　수련이 그려져 있는 그림 앞에서 서하가 멈춰 섰다. 꽃잎 위로 산산이 부서지고 흩어지는 수많은 빛의 알갱이. 모네는 자신 앞에 있는 수련을 있는 그대로, 그리고 또 그리다가 시력까지 잃었다. '무언가를 이토록 열망한 적이 나에게 있었을까?' 서하가 생각했다. 그리고 이어지는 질문들. '재인은 어떻게 지낼까? 원하던 그림을 그려냈을까? 아직도 무엇보다 그림을 가장 사랑하고 있을까?'

　"이 그림이 마음에 드시나 봐요." 서하 곁에 멈춰 선 우진이 말을 걸어왔다. "그런데 보면 볼수록 인상주의 화가들은 참 순수한 것 같아요." "그래? 어떤 점에서?" 서하가 물었다. "그러니까 인상주의가, 빛에 의해 시시각각 변화하는 사물을 색감을 한 폭의 그림에 담아내려고 한 거잖아요. 저는 그런 생각이 화가가 어떤 판단도 없이 사물을 봤기 때문이라고 생각하거든요. 사물이 존재하는 대로가 아니라, 내 눈에 보이는 지금 모습 그대로를 바라본 거죠." 서하는 우진의 해석이 마음에 들었다. 우진의 말처럼 순수한 시각이기에 하나의 화풍을 만들어내고 시대를 관통해 인정받는다는 생각도 해보았다. 어쩐지 우진을 보며 서하는 세상에 맞춰져 있는 자기 모습이 아닌, 있는 그대로의 모습이어도 괜찮다는 느낌을 받았다.

전시 관람이 끝나고 미술관 밖으로 나서던 서하가 "시간 괜찮으면, 저녁은 내가 살게." 하며 멈춰 섰다. 우진이 "저 시간 엄청 많아요." 하며 빙그레 웃었다. 우진을 보며 서하는 '꼭 어린아이가 신나 하는 거 같네' 생각했다.

미술관 근처 작은 레스토랑에 두 사람이 마주 앉았다. 우진이 대뜸 "그런데 선배는 왜 연애 안 하세요? 인기 많으실 것 같은데." 했다. 서하가 잠시 머뭇거리다 "그거 칭찬이지?" 대꾸했다.

사실 재인과 이별 후, 노력해 봤지만 서하는 제대로 된 연애를 할 수 없었다. 진실한 사랑은 단 한 번뿐이어야 된다고 생각했던 서하였기에 재인이 아닌 다른 사람과의 사랑은 상상조차 잘되지 않았다. 이미 첫사랑이었던 재인에게 심장을 주었다고 생각한 서하. 재인은 서하의 모든 것이었고, 세상의 시작과 끝이었다. 무슨 일이 있어도 서하는 재인과 함께하고 싶었다. 자신에게 주어진 모든 삶을 재인 곁에서 살아내고 싶었다. 하지만 이 세상에는 사랑으로만 지킬 수 없는 것이 너무 많다는 걸 그때의 서하는 몰랐다. 돌이켜보면 그것은 돈도 현실도 아닌, 그냥 숙명처럼 기다리고 있는 관계의 끝이었다. 서하는 현실을 잘 살아냈지만 자신의 작품으로 세상의 인정을 받지 못했고, 재인은 꿈속에서 그림을 그리며 살아갔지만 언제나 가난했다. 두 사람은 서로 다른 결핍을 가지고 있었고 아직 어렸기에 그런 사실을 잘 인지하지 못했다.

험난한 세상 속에 연약한 어린 연인이었던 서하와 재인. 지금의 서하와 재인이라면 그때의 그 관계를 지켜낼 수 있었을까? 세상이 던지는 다양한 질문들에 그때보다는 현명하게 답할 수 있었을 지도 모른다고 생각하면서도, 확신할 수 없었다. 결국 서하는 재인도 자기 자신도 바꿀 수 없을 거라는 것을 알기에, 결과는 같았을 거라는 예감이 들었다. 서하는 5년간 정성스럽게 쌓아온 자신의 완벽한 사랑이 한순간에 물거품 되어 버린 것이 너무나도 허무했고, 그 이후로는 사랑이 두려웠다. 심지어 모든 사람과의 인연이 무섭고 끔찍하게 느껴졌다.

복잡해진 서하의 눈빛을 읽은 우진이 "에이, 연애 안 하면 어때요. 요즘 혼자 즐길 수 있는 것도 엄청 많은데."라며 잠시 뜸을 들이더니 물을 한 모금 벌컥 마시고는 "그런데 선배, 사실 저는 여자 친구가 있어요." 했다. 서하의 눈이 동그래지며 "…그래?" 하고 말했다. 서하는 요즘 자신에게 적극적으로 다가오는 우진을 보며 당연히 여자 친구가 없을 것으로 생각했었다. 이렇게 전시 데이트를 제안하는 것도 그렇고, 레스토랑에 마주 앉아 저녁을 먹는 것도 그렇고… '여자 친구가 있으면 이러면 안 되는 거 아닌가?' 슬쩍 화도 났다. 하지만 평정심을 되찾기 위해 노력했다.

"그런데 저는 사실 지금까지 제가 좋아서 연애해 본 적이 단 한 번도 없었어요. 이상하죠?" 하며 우진이 머쓱하게 웃었다. 늘 여자

쪽의 고백을 받아 수동적인 연애를 해왔다며 다음번에 기회가 된다면 꼭 자신이 좋아하는 사람에게 먼저 고백해 사귈 거라고 이야기했다. 서하는 어쩌면 그 대상이 자신을 이야기하는 건가 헷갈렸다. 지난번에 우진이 들려준 낭만적인 노래며, 요 근래 친절한 모든 언행이 자신을 향하는 것일 수도 있다고 생각하면서도 절대 섣부르게 먼저 오해하지 말자고 다짐했다. 앞선 판단으로 직장 후배에게 우스워지면 낭패라고 생각했다.

"그런데 선배는 혹시 연애할 때 나이 차이 같은 것도 신경 쓰세요?" 서하는 "글쎄, 나이는 딱히 중요하지 않지." 신중하게 대답하는 서하를 보며 우진이 "진짜요? 다행이다." 하며 너무도 환하게 웃었다. 우진의 감정이 너무 투명하게 보여서, 서하는 우진이 자신에게 호감이 있음을 확신할 수밖에 없었다.

"비가 오네요. 큰일이네. 선배 우산 있어요?" 레스토랑을 나서다 멈춰 선 우진이 하늘을 바라봤다. "아니." 서하가 답했다. "일기예보에 소나기 온다고 하길래… 챙겼어요." 우진이 가방에서 우산을 꺼내며 장난스럽게 웃었다. "역까지 같이 쓰고 가요." 당황하는 서하를 보며 우진이 다정하게 말했다.

비가 오는 거리에서 서하와 우진은 우산 아래 하나가 되었다. 우산이 서하 쪽으로 조금 더 기울어져서 서하가 슬쩍 밀어보지만 다시 서하 쪽으로 밀려왔다.

"선배, 그런데 저희 가볍게 딱 한 잔만 더 하면 안 될까요?" 우진이 역에 들어가기 전에 멈춰서더니 서하에게 넌지시 말했다. 서하는 잠시 망설였지만 우진이 자신에게 무언가 할 말이 있는 것 같았고, 또 오늘이 지나면 이런 기회를 만들기 힘들 것 같아 "그러자." 하고 말했다.

작은 선술집에 우진이 마주 앉아 있던 서하가 어색한 듯 잠시 허공을 바라보더니 이내 우진을 바라보며 물었다.

"여자 친구랑 만난 지는 얼마나 됐어?" "며칠 뒤 1주년 기념일인데, 사실 제가 날짜를 제대로 기억 못 해서 싸웠어요. 내일 만나기로 했는데 아마 헤어지지 않을까 싶어요." 기념일이라는 세 글자를 들으니 서하의 마음이 내려앉았다. 창밖을 내다보니, 비가 아까보다 더욱 거세게 내리고 있었다.

재인과 헤어지던 날은 두 사람의 1500일 기념일이었다. 서하는 원하던 디자인 회사에 취직해 한창 적응 중이었고, 재인은 군대를 졸업하고 복학해 아직 학생 신분이었다. 서하는 평소에는 재인을 배려하기 위해 소박한 데이트를 즐겼지만 그날만큼은 번듯한 레스토랑에 가고 싶었다. 통장에는 이틀 전 받은 월급이 고스란히 있었고, 자신이 계산할 생각이었지만 굳이 재인이 낸다면 말릴 수 없을 것 같아 50% 할인 이벤트 중인 레스토랑도 찾아두었다.

먼저 도착한 약속 장소에는 비가 추적추적 내리고 있었다. 서하가 우산을 펴 들고 사람들 사이를 가르며 한 옷 가게에 들어가 재인에게 어울리는 티셔츠를 골랐다. 거울 앞에 선 서하가 '재인에게는 이런 옷도 잘 어울릴 텐데.' 하는 생각이 들어 자신의 몸에 티셔츠를 대보며 고개를 갸웃거렸다. '하지만 역시 옷보다는 물감을 선물하는 게 더 나으려나?' 싶어 근처 화방에 들렀다. 이것저것 살펴보던 서하는 재인에게는 없을 것 같은 새로 나온 고체 물감을 골랐다. 물에 녹여서 쓰는 재형의 것이었다.

"비에 젖지 않게 잘 포장해 주세요." 카운터에 선 서하가 말했다.

약속 시간에 잘 늦지 않던 재인은 그날따라 한참을 오지 않았다. 서하는 30분씩이나 늦게 나타난 재인이 낯설었다. 하지만 어서 재인과 함께 즐거운 시간을 보내고 싶기에 두 사람을 감싸고 있는 이상한 기운을 애써 무시했다.

레스토랑 앞에 선 재인은 가게 안으로 들어가지 않고 자꾸만 근처를 맴돌았다. 온종일 업무 처리를 하고 온 서하는 배도 고프고 피곤한데, 자꾸만 재인이 근처 공원에 잠깐만 앉아서 이야기하자고 하니 답답했다. 무슨 중요한 이야기인가 싶어서 일단 따라가 들었더니, 온통 자신이 요즘 몰입하고 있는 그림의 구성에 대한 이야기였다. 또 그림을 그리며 생계유지에 괴로워하는 자신의 주변 사람들의 이야기였다. 또 졸업 이후에는 산속에 들어가 그림만 그리며 살고 싶다는 이야기가 이어졌다. 재인의 모든 이야기 속에, 서하는 없었다.

"선배 내일은 뭐 하세요?" 생각에 잠긴 서하에게 우진이 질문을 던졌다. 재인과 달리, 우진의 모든 물음 속에는 서하가 있었다. 별다른 일정이 없어 어떻게 답해야 할지 고민하는 서하에게 우진이 말했다. "그런데 선배 저 진짜 나쁘죠? 지금까지 만난 사람들에게는 분명 나쁜 남자였던 것 같아요." 지금까지 좋아하지도 않는 여자들과 사귀어 온 남자. 여자 쪽에서 다가오면 만나고, 좋아하는 마음을 다 쓴 여자가 이별을 고하면 헤어지며 수동적으로 움직여 온 남자. 그런 우진이 1년 동안 만나온 자신의 어린 여인을 단숨에 정리하고 지금 서하에게로 망설임 없이 성큼성큼 걸어오고 있다.

'스스로 나쁘다는 것을 알고 있는 우진이, 과연 나에게는 좋은 남자가 될 수 있을까?', '우진은 어떤 사람일까?', '지금 여자 친구를 정리하고 내게 왔듯, 언젠가는 나도 정리하고 떠나가지 않을까?', '무엇보다 내가 또다시 사랑을 할 수 있을까?' 하나둘 그려지는 질문들 앞에 서하가 우두커니 멈춰 섰다. 자신보다 한참 어린 우진을 바라보니 더욱 마음이 심란했다. 하지만 우진은 현실 세계에서 살아가는 사람이니까 재인에게서 겪었던 아픔은 주지 않을 것 같았다. 하지만 동시에 진정한 사랑은 단 하나라고 믿어왔던 서하의 지난 시간을 바꾸어놓을 수 있을 만큼인지는 확신이 서지 않았다. 문득, 관계의 끝에서야 사실 자신은 단 하나뿐인 사랑을 믿지 않았다는 재인의 고백이 맴돌았다.

우진이 다가올수록 마음속이 복잡해지던 서하는 우진 역시 이미 여러 번의 사랑을 거치며 사랑은 하나가 아닌 여러 개이며, 언제든 움직일 수 있는 것이라고 믿을지도 모른다는 생각이 들었다. 그렇다면 재인과 다를 바가 없었고, 무엇보다 지난 1년간 우진만 보면서 만나온 여자 친구가 떠올랐다. 곧 이별을 겪게 될 그의 어린 여자 친구가 꼭 과거의 자신 같아서. 자신들이 가지고 있는 게 얼마나 소중한 건지 아직 깨닫지 못한 어린 연인에게 찾아간 불청객이 어쩌면 자신인 것만 같아서, 서하는 쉽게 움직일 수가 없었다.

서하의 고민이 커지는 만큼, 창밖의 빗줄기 또한 더욱 거세지고 있었다.

다시, 서하와 재인이 헤어지던 1500일 기념일. 공원에 마주 서 있던 두 사람. 거세지는 빗소리를 가르며 서하가 "그래서?"라고 또렷하게 말하자, 바쁜 걸음으로 공원을 오가던 사람들이 흐릿하게 사라지고 재인과 서하, 오직 두 사람만이 남겨진다. 결국 끝나지 않을 것 같은 재인의 예술적 고뇌를, 서하가 한 마디의 말로 자른 것이다. 놀란 재인의 얼굴을 바라보며 서하가 말하기 시작한다.

"나 지금, 너무, 배고프다고."

자신의 말을 자른 서하를 재인이 바라보다가 잠시 침묵하더니 자리에서 일어나 이만 집에 가자고 한다. 그 순간 서하는 한 번도 겪어본 적 없는 이별이 찾아왔음을 직감한다. 아무리 작은 기념일에도 손수 만든 작은 선물이라도 건네며 진심으로 두 사람의 만남을 기뻐하던 재인이었다. 결국 자신을 등지고 걸어가는 재인의 뒷모습을 향해 서하가 해서는 안 될 말을 내뱉는다.

"네가 가지고 있는 그거, 결코 특별한 재능이 아니야. 이 세상이 재능 있는 사람이 얼마나 많은데!" 이상을 좇는 남자에게 현실을 살라는 충고를 해버리는 서하. 한때는 자신보다도 그림을 더 좋아하는 재인, 그 자체를 이해하고 사랑하고자 결심했던 서하였다.

재인이 떠난 자리에 서하가 가방 속 깊이 넣어두었던 고체 물감을 던져버린다. 어느덧 제법 굵어진 빗줄기에 포장지를 벗어난 고체 물감이 아무 저항도 하지 못하고 힘없이 녹아내린다. 두 사람이 쌓아 올린 1500일의 시간이 빠르게 허물어지는 것처럼. 하염없이 내리는 빗줄기에 거리 한구석이 검붉게 물들기 시작한다.

"비가 점점 더 많이 내리네요." 창밖을 바라보던 우진이 말했다. 재인과 헤어지던 그날처럼, 막을 수 없이 쏟아져 내리는 빗줄기를 따라 서하의 마음속 무언가도 녹아내리기 시작했다. 자신 앞에 닥쳐올 일들을 아무것도 모르는 천진난만한 표정의 우진을 바라보며 서하는 며칠 전 그가 선물해 준 색연필을 떠올렸다. '우진의 색연필은 어떤 색깔을 품고 있을까?' 침대 밑 바짝 말라버린 물감도 어렴풋이 스친다. '이번 그림은 과연 잘 그려낼 수 있을까…' 무릎 위에 올려둔 가방 끝을 가만히 만지작거리던 서하가 가만히, 우진의 눈동자를 바라봤다.

이별의 질문들

-넌 네가 사람을 죽일 수 있다고 생각해?

도희가 물었을 때 선호는 선뜻 대답할 수 없었다. 순간 도희가 다른 사람처럼 느껴졌기 때문이다.

-글쎄, 그런 건 왜 묻는 거야?

-아니, 뭐 그냥.

도희는 순식간에 자신이 던진 질문에서 벗어나 하늘을 올려다 봤다. 오늘따라 별이 빼곡하게 하늘을 채우고 있었다.

-요즘 무슨 일 있어?

선호가 물었을 때 도희는 고개를 저었다.

-없어, 별일.

선호는 하늘을 바라보는 도희의 옆모습이 익숙하면서도 낯설 었다. '도희가 원래 이렇게 생겼었나…' 바람에 흐트러졌음에도 단정한 느낌을 주는 머리카락, 담담하고 깊은 눈빛, 부드럽고 단단한 콧선을 따라 붉은 입술에 시선이 멈췄을 때, 도희는 선호에게 휙 고개를 돌리며 본격적인 이야기를 시작했다.

-아무래도 내가 사람을 죽일 것 같아.

-…뭐?

선호는 도희의 한 마디에 심장이 발바닥 밑까지 내려앉는 기분이었다. 그런 선호의 마음을 아는지 모르는지 도희가 짧고 깊은 한숨을 내쉬며 이야기를 이어갔다.

-나도 지금까지 누군가를 죽일 수 있다는 생각은 한 번도 해본 적이 없어. 정말 처음 겪는 일이거든.

그 순간 무언가 깊은 감정을 담고 있는 눈동자. 선호는 그런 도희의 눈동자를 좋아했다. 회색도 갈색도 아닌 빛을 받을 때마다 변화하는 도희의 눈동자는 그의 맑은 영혼을 그대로 담고 있는 듯, 다른 사람에게서 쉽게 찾을 수 없는 깊이가 있었다. 하지만 오늘따라 그 눈동자는 선호 너머의 다른 곳을 보고 있었다. 잠시 침묵하던 선호가 말했다.

-무슨 일인지 천천히 말해 봐.

-우리 처음 만났을 때 기억 나?

말을 돌리려는 듯한 도희의 엉뚱한 질문 속에서, 선호는 도희가 사람을 죽이려는 일이 자신과 무관하지 않음을 미약하게나마 느낄 수 있었다.

-그래, 기억나지.

그 순간 선호는 그곳에 있던 도희의 눈동자로 빨려 들어가는 기분이었다.

-너도 기억할 거야. 그날은 정말 비가 많이 왔었어. 난 우산이 없었고.

그날은 마치 미워하는 누군가에게 작정하고 양동이로 물을 퍼붓듯이 비가 쏟아지던 날이었다. 하늘에 구멍이 뚫려 있지 않은 게 이상할 정도였다. 강렬한 날씨 덕분인지 선호는 어렵지 않게 도희와의 첫 만남을 회상했다.

-사실은 그날 편의점에서 마지막 남은 우산을 계산할 때, 우산을 사지 못한 채 터덜터덜 나가던 널 처음 보고 무척 신경 쓰였어.

-그랬어?

-그때 너 어때 보인 줄 알아? 마치 세상이 곧 끝날 것을 아는 사람 같았어. 캄캄한 어둠 속을 걷는 듯 절망적인 표정이라고나 할까?

선호는 그날 도희의 일거수일투족을 섬세하게 기억하고 있었다. 도희의 손짓과 걸음걸이를 기억했고 도희를 둘러싼 배경과 도희의 상황 모든 것을 짐작하고 느꼈다. 선호는 그렇게 쏟아지는 비를 가만히 바라보던 도희에게 가만히 우산을 건넸었다.

-그날 무슨 일이 있었던 건지 이야기해도 될까?

'도희는 왜 이 이야기를 이제야 하는 걸까? 벌써 2년도 더 지난 일인데.' 선호는 무언가 불안했지만, 피해선 안 될 것 같은 기분이 들었다.

-물어봐도 대답해 주지 않더니, 이제는 말해줄 수 있는 거야?

선호의 질문에 도희가 가만히 고개를 끄덕였다. 이야기를 어디에서부터 시작해야 하나 잠시 망설이던 도희가 이내 이야기를 시작했다.

-그날은 정말 되는 일이 하나도 없는 날이었어.

도희가 이야기를 시작하자 어디선가 느릿한 바람이 불어왔고 두 사람은 그날 도희의 아침으로 어렵지 않게 도착할 수 있었다.

그날 아침. 만약 알람이 제대로 울렸다면 도희의 하루가 여느 날과 다르지 않았을지도 모른다. 숨죽인 알람 때문에 뒤죽박죽이 된 외출 준비. 약속에 늦지 않기 위해 정신없이 준비하고 문밖으로 나온 도희는 왠지 곧 비가 쏟아질 것만 같은 먹구름 가득한 하늘을 올려다봤다. 하지만 시간이 촉박했기 때문에 우산 없이 거리로 나섰다.

-너도 알다시피 내가 좀 어수선하잖아. 그날은 그런 어수선함이 경쟁하듯 모든 상황에서 터져 나오던 날이었어.

도희가 힘겹게 뛰어 역에 도착했을 때, 아슬아슬하게 출발하던 기차. 도희는 허무함에 자신을 두고 냉정하게 떠나버린 기차의 뒷모습을 한참을 바라봤다.

-그 기차를 놓치고 나니 다음 기차는 30분 뒤에야 오는 거야. 발을 동동 구르면서 내가 좀 늦을 것 같다고, 조금만 기다려 줄 수 있냐고 그 사람에게 연락하려고 하는데 가방 안에 휴대전화가 없는 거지. 집에 다시 들르자니 다음 기차는 2시간 뒤에나 있고….

고민하다가 그냥 그 사람에게 연락 없이 30분을 늦기로 했어. 그 정도는 기다려 주지 않을까 짐작하면서.

선호는 오랜 시간 궁금했던 작은 상자, 어떤 문, 또 다른 세계가 조금씩 자기 모습을 드러내며 다가오는 느낌이었다. 그리고 그곳으로 들어갔을 때 마침내 어떤 선택을 해야 한다는 것 또한 알 수 있었다.

-30분 뒤에 도착한 기차를 타고, 가는 내내 마음은 좌불안석이었어. 그러면서도 조금 있으면 그 사람을 만날 수 있겠구나. 그러면 그동안 쌓여 있던 모든 이야기를 털어놓고… 우리는 서로를 이해하게 될 거야. 그래 다 잘될 거야. 몇 번이고 마음을 다잡았지.

조금씩 이야기를 풀어가는 도희의 어깨는 그날의 긴장을 그대로 품고 있었다. 그렇게 우여곡절 끝에 약속한 기차역에 도희가 도착했을 때, 선호 역시 같은 기차역에서 누군가를 배웅하고 있었다.

- 기차에서 내리자마자 약속했던 플랫폼으로 마구 뛰었지. 그런데 그 사람이 없는 거야. 30분밖에 안 늦었는데… 아니 사실은 내가 30분이나 늦은 거지. 그 사이, 그 사람이 연락도 많이 했을 거야. 늘 그랬듯이 나를 엄청나게 걱정하면서 말이지. 그래서 꼭 만나야 한다고 발을 동동 구르면서 별생각을 다 했어. 그런데 그날따라 왜 그 사람의 번호는 단 한 자리도 기억나질 않던 걸까? 기차역에서 방송을 해볼 걸 그랬나. 내가 지금 여기에 왔다고. 그런데… 그 사람을 찾을수록 그 사람이 기억나질 않는 거야.

선호는 마치 맨발로 기차역을 방황하는 듯한 도희를 진정시켜야 할 것 같았다.

-도희야, 괜찮아. 다 지난 일이잖아.

선호의 차분한 목소리에 도희는 선호를 물끄러미 바라봤다.

-그래 다 지난 일이지. 결국 그 사람과는 그게 마지막이었어.

불안으로 가득 찬 도희의 눈동자가 슬픔으로 변했다. 그날 도희는 그 사람을 찾을 수도, 만날 수도 기억해 낼 수도 없었다고 했다. 마치 처음부터 존재한 적 없는 사람인 것처럼 시간이 흐를수록 기억이 흐려져 무뎌졌다고 말이다. 그리고 그럴 수 있었던 것은 그때 선호가 자신에게 말을 걸어 주었기 때문이었던 것 같다고, 지금 와서 생각해 보면 그렇다고 했다.

조용히 생각에 잠겨 있던 도희는 그때 그 사람과의 이별이 일종의 죽음과도 같았다고 고백했다. 누군가와 처음 헤어지는 경험은 그렇게 허무했고 보잘것없었고 현실과 환상이 뒤섞인 채 끝없이 추락하는 듯한 느낌이었기에. 도희는 그 사람이 마치 자신을 삶을 단숨에 사라지게 만든 것처럼 한동안 멍하니 지내야 했다. 그래서 이별은 일종의 죽음과도 같다고 정의 내리게 된 것이다.

도희의 설명을 듣고서야 선호는 도희가 자신에게 건넨 사람을 죽일 수 있을 것 같냐는 질문, 그리고 자신이 조만간 사람을 죽일 것 같다는 예언과도 같은 중얼거림을 이해할 수 있었다. 도희는 지금 자신에게 헤어지자는 이야기를 하려는 것이었다.

한참을, 어색한 침묵이 두 사람을 휘감았다. 그리고 그 끝에 도희가 누군가를 죽일 수 있을 것 같냐는, 결코 작은 곤충 하나도 죽일 수 없을 것 같은 여리고 작은 손을 움켜쥔 채 다시 한번 선호에게 질문을 던졌을 때. 선호는 도희를 가만히 바라보다가 천천히 고개를 끄덕였다. 그리고 그날 기차역에서 도희와 우연히 만나게 되었던 것은 자신에게 운명과도 같은, 잊을 수 없는 추억이 될 것이라고 덧붙였다. 마지막까지도 그토록 따뜻한 선호의 대답을 들은 도희는 마음이 무너지는 것 같았지만 조금은 안심한 듯 옅은 미소를 지으며 지난 2년간 고마웠다는 인사를 건넸다. 그날 씌워줬던 우산과 나지막이 건네주었던 목소리는 서로의 기억 안에서 영원히 따뜻함으로 멈춰있을 거라고 읊조리면서.

　그렇게 부드러운 눈빛의 선호와 담담한 목소리의 도희는 천천히 서로를 바라보았다. 이제 막 무언가 시작되려는 듯이.

공방, 시

류현선

류현선

잘하는 것이 곧 좋아하던 것이었던 시절이 있었다. 특기와 취미란에 글쓰기와 독서를 써내는 것이 자랑스럽기마저 했던 어린 날이었다. 누구든 고개를 끄덕여 날 인정해 주던 그 시절에는 말하는 것이 너무 싫어 모든 걸 글로 적어내고 싶기도 했다.

우습지만 지금은 지독히도 싫어했던 말하기를 업으로 삼고 있다. 종일 단내가 나도록 말을 하고 정작 글쓰기는 한줄기도 하지 않고 있다는 사실이 문득 부끄러울 때가 있다. 그래서 조금이라도 써보려 한다. 아직 잘하는 것이라 다시 말하기는 어렵겠지만, 좋아했던 마음을 담아.

공방, 시

눈앞에 안개가 끼었다. 시현이 다시 한번 손바닥으로 눈을 꾹꾹 눌러 보지만 눈앞은 뿌옇기만 하다. 허를 찌르는 반전이 마음에 들어 몇 번을 돌려보았던 스릴러 영화가 생각났다. 빽빽한 안개에 고립되었던 마을 사람들의 기분이 이랬을까 생각해 보는데 눈알 깊숙한 곳에서 통증이 몰려들어 생각조차 끊겨 나갔다. 시현의 눈앞에만 존재하는 이 안개는 머리 깊숙한 곳을 울리며 시현을 흔들어 대고 있었다.

"많이 아파? 그냥 스트레스성은 아닌 거 같은데?"

저도 모르게 얼굴을 찌푸린 탓인지 정우가 짐짓 걱정이라도 되는 듯 물어온다. 눈의 피로를 높이는 작업은 피하고 스트레스받지 말 것. 얼마 전 시현이 찾아간 동네 안과에서는 어느 의원에서나 내릴 법한 상투적인 처방을 내려주었다. 하지만 시현에게 피로와

스트레스 없이 일하라는 건 새빨간 크림을 파랑으로 바꾸어내라는 것처럼 들렸다. 이것저것 섞어가며 노력해 보아도 결국은 멀어지기만 할 일이었다. 당장 이번 주말 예약된 케이크의 디자인만 떠올려 보아도 가슴이 답답해진다.

"그러게, 내 말대로 처음부터 큰 병원을 가보라니까. 이게 예약이 어려운 거 같아도 나처럼 끈질기게 전화를 넣다 보면 한두 개쯤 캔슬 된 자리가 생기거든. 여기 교수가 그렇게 유명하다더라. 그나저나 큰일이네. 일요일에 예약 들어온 거, 주문자 계정 들어가 봤더니 팔로워가 좀 되더라고. 그 케이크 진짜 제대로 뽑아야 가게 태그라도 좀 걸어줄 텐데. 오늘 진료 보면 뭐 약이라도 나오겠지? 지금 포탈 평점도 더 떨어져서 이럴 때 그런 인플루언서 도움이 좀 필요한 거거든. 이것도 취소시키면 진짜 복구 어려울걸."

부러 대답하지 않아도 정우의 대화는 잘만 이어졌다. 걱정인지 악담인지 모를 이야기에 습관적으로 핸드폰을 확인하며 피해 본다. 화면 상단에 탁하게 번져버린 노란 아이콘 옆으로 하양과 검정이 뭉그러져 점멸한다. 메시지라도 들어온 모양이지만 미간을 한껏 좁히며 눈에 힘을 주어도 초점이 잡히지 않는다. 힐끗 바라본 정우의 핸드폰 위로 초록과 하양이 뒤섞이며 휙휙 빠르게 올라갔다. 네이버 지식인을 훑고 있는 모양이었다. 시현이 듣고 싶은 것은 지식인이 꿰맞춘 예언이 아닌 의사의 진단명이다. 정우가 자기 마음에 드는 답변을 찾아 읊어주기 전에 진료실로 들어갈 수 있기를 바랐다.

"최시현 님, 다음이세요. 5번 진료실 앞에서 대기해 주세요."

때마침 감정 없는 간호사의 목소리가 시현을 구해주었다. 반가운 마음에 일어서며 5번 진료실이 어디일지 가늠해 보지만 시현에게 보이는 5라는 숫자가 확실한 것인지 자신이 없었다. 결국은 정우의 도움을 받아야 할 것이다.

*

시현이 눈의 이상을 처음 느낀 것은 6월의 어느 날이었다. 그날은 예약 주문 건수가 나흘째 0으로 기록되고 있던 때였다. 전달에 제법 많은 매출을 올리기도 해서 걱정보다는 달가운 마음으로 여유를 즐기기로 마음먹은 참이었다. 예약된 픽업이 없으니 아무도 찾아올 리가 없다고 생각하자 빙그레 웃음이 났다. 혼자서 살아 본 일도 없거니와 혼자서는 아무것도 하지 못했던 시현에게 처음으로 주어진 그녀만의 공방에서 홀로 작업을 하노라면 때때로 가슴 한편이 설레는 기분이 들었다. 노란 믹스커피를 한 봉지 뜯어 달달함을 채우며 천천히 SNS 업로드용 케이크를 디자인해 보았다. 고요함을 깨는 메시지 알림이 울렸다. 이번 달 매출이 좋지 않아 걱정이 많을 텐데 조금만 기다려 보라는 정우의 메시지였다. 좋은 아이디어가 있으니 곧 지난달 매출을 넘어설 수 있을 거라는 자신감이 메시지에서도 느껴졌다. 사장인 시현 보다도 더 공방을 걱정해 주는 정우의 메시지를 보고 나니 철없이 여유를 즐기던 자신이 문득 부끄러워지고 말았다. 때마침 타이머가 울렸다. 오븐에 넣어두었던 시트가 식는 동안 천천히 그려보려던 케이크 디자인을 급하게 마무리하고 누군가 지켜보기라도 하는 듯 다급히 몸을 움직였다. 식힘망 위에 시트를 올려놓고 선풍기를 틀어 식는 속도를 높여보았다. 행주를 꺼내 들고 조리대와 오븐을 구석구석 닦아 보았다. 며칠째 별다른 작업을 하지 않은 조리대가 형광등 조명에 유난히 번쩍였다. 이미 깨끗한 곳을 힘주어 닦고 있노라니 번쩍이던 철판이 오히려 뿌옇게 멀어지는 것 같았다. 눈을 깜박일 때마다 아득히 멀어지는 조리대 위로 새까만 점들이 흩뿌려지기 시작했다. 깨끗하게 보였지만 사실은 시현이 보지 못한 먼지가 있었던 것 같다. 눈썹 아래가 지끈거렸다. 엄마가 누누이 얘기했던 것처럼 시현이 꼼꼼하지 못해서일 것이다.

기억이 나지 않는 시절부터 20대가 되었을 때까지도 시현은 항상 엄마가 사둔 옷을 입고, 엄마가 올려주는 반찬을 먹었고, 엄마가 등록해 둔 학원에서 공부했었다. 물론 말을 잘 들었다고 해서 엄마 마음에 꼭 차는 딸은 아니었다. 엄마의 말을 빌리자면 시현은 느리고 둔해서 혼자서는 아무것도 야물딱지게 끝내지를 못하는 아이였다. 하다못해 빨래 하나를 개어 놓으라고 맡겨도 다 되어있는 꼴을 본 적이 없다는 것이다. 꾀를 부린 것도 아니었는데도 엄마가 원하는 시간에 맞추기란 늘 어려웠다. 생각해 보면 오롯이 혼자서 무언가 마무리한 적이 없는 듯하다. 엄마는 항상 시현을 기다려주지 않았다. 시현이 조금이라도 빨리, 더 잘되기를 바라는 마음에서 물심양면 도와주는 엄마이니 늘 감사해야 할 것이다.

그런 엄마가 시현을 믿고 맡기겠다며 인정해 준 사람이 바로 정우였다. 빠듯한 예산으로 경기도 외곽 정도로 사업장을 알아보던 와중에 선뜻 투자해 주겠다며 유명한 번화가에 보증금을 빌려준 것이 가장 큰 이유였을 것이다. 사실 무엇을 할지 갈피를 잡지 못했던 시절에 창업을 제안한 것도 그였다. 8평 남짓한 1인 사업장이라도 사장이라는 이름을 가지게 된 것이 어쩌면 모두 그의 덕분일지 모른다. 타고난 우유부단함 탓에 짧게는 며칠, 때로는 몇 년 동안이나 안고 있던 결정인데도 정우 앞에서는 쉽게만 느껴질 때가 많았다. 정우의 조언은 꼭 따라야 할 이유가 없는데도 늘 시현의 머릿속을 돌고 돌았다. 마치 묽은 생크림 위로 떨어뜨려진 작디작은 색소 한 방울처럼 한 바퀴 휘저어질 때마다 시현을 물들이곤 하는 것이었다. 가게 운영은 걱정하지 말라던 그의 말에 괜스레 부지런히 움직이는 지금도 마찬가지였다. 머릿속으로 생각이 꼬리를 물고 있지만 행주를 쥔 손은 한참을 쉴 새 없이 움직이고 있었다.

케이크 시트는 아직 식지 않은 듯했다. 완전히 식어야 자르고 샌딩을 할 수 있을 것이다. 그래도 왠지 급해진 마음에 크림 조색을 시작해 보았다. 어떤 색소를 넣어야 넘치는 피드 사이에서 눈길을 끌 수 있을까. 쉽사리 답이 떠오르지 않는다. 일단 눈에 띄던 바이올렛 색소를 집어 든다. 차갑게 둔 생크림 볼 안으로 살짝 떨어뜨렸다. 그 순간 새까만 실이 눈앞에 나타났다. 그것이 눈앞을 아른거렸을 때, 시현은 자신이 색소를 한 번에 너무 많이 넣었다고 생각했다. 하얀 크림 사이를 부유하는 새까만 아지랑이가 크림 사이를 가로지르는 바이올렛의 궤적을 반 바퀴쯤 따르더니 별안간 천천히 오른쪽으로 아스라이 사라지는 것이었다. 시현은 대수롭지 않게 환한 보랏빛이 돌기 시작한 크림의 톤을 낮추기 위해 스패츌러를 닦아 레드레드 색소를 살짝만 찍어내 들었다. 그 순간 반짝이는 스패츌러 날 위로 또다시 까만 아지랑이가 피어났다. 이상한 기분에 고개를 들어 형광등을 바라보았지만 새까만 아지랑이는 그대로였다. 눈과 귀 사이 깊숙한 곳에 두통이 느껴졌다. 스패츌러를 든 손 그대로 팔을 들어 팔등에 눈을 비벼보았다. 닦아낼 수 없다는 것을 말하려는 듯 깜빡이는 눈앞을 몇 초간 부유하던 아지랑이는 스패츌러를 내려놓고 나니 슬며시 사라졌다.

사라진 아지랑이처럼 어쩐지 급하게 움직여야겠다는 마음도 순식간에 사그라들어 버렸다. 눈 뒤로 느껴지는 두통은 뭉근하게 이어지고 있었다. 스패츌러를 내려놓은 김에 잠시 의자에 앉아 멍하니 케이크 시트를 바라본다. 공방을 오픈한 지도 벌써 1년이 되어가고 있었다. 인스타 팔로워도 느리지만 천천히 늘고 있고, 스토어 평점 또한 4점 중반으로 벌써 단골임을 주장하는 고객들도 생겨났다. 운영이 이렇게 순조로운 것은 어쩌면 정우의 덕분일지도 모르겠다. 여유를 두고 하루에 다섯 개씩 정도만 주문받으려던 시현을 만류하고 공격적인 마케팅을 제안한 것이 결국은 매출에 많은 도움이 되었다. 5월 한 달 하루 주문 제한량 없이 선주문 이벤트로 할인폭을 높였더니 주문이 무섭도록 밀려들었다. 식힘망이 모자라 몇 개나 더 주문해 가며 빼곡히 시트를 구워냈던 것이 생각났다. 직장인이던 시절 어떻게든 피하기 바빴던 밤 근무를 매일 해내기도 했다. 쪽잠을 자고 새벽에 다시 나오면서도 매출로 직결이 되는지라 바쁨을 하소연조차 할 수 없었다. 밤이면 건조해지는 안구에 안약을 넣고 시큰거리는 손목에는 파스를 부쳐가며 겨우 맞춰낸 주문들이었는데 그 매출을 뛰어넘으려면 무엇을 더 해야 하는 걸까. 내가 더 높은 매출을 원하기는 했었던가. 생각하다 보니 정우가 보낸 메시지를 확인만 하고 답하지 않았던 것이 떠오른다. '걱정해 줘서 고마워. 이참에 새로운 디자인도 좀 생각하고 좋지 뭐. 아직 괜찮아.' 꾹꾹 눌러 답을 전송했다. 고맙다는 인사 뒤에 하고 싶은 말이 있지만 조금 더 생각해 보고 이야기하기로 한다. 늘 시현보다도 먼저 시현의 미래를 염려해 주는 그에게 지금은 고맙다는 인사가 먼저일 것이다.

생각해 보니 시현이 정우에게 처음으로 건넨 말도 고맙다는 말이었다. 엄마가 등록해 준 헬스장에서 만나게 된 그는 20kg 원판 몇 개를 어려움 없이 슥슥 빼내 주었다. 터무니없이 무겁게 설정되어 있던 기구 앞에서 어쩔 줄 몰라 망설이는 시현에게 아무 말 없이 다가와 묻지도 않고 고민을 해결해 준 사람이 바로 그였다. 시현이 어색한 웃음을 짓는 사이 불현듯 그가 저녁을 먹자고 했던 것이 떠올랐다. 그리곤 모든 것이 빠르게 흘러갔다. 아니, 정우가 말하기로는 모든 것이 더디게 흘러갔다고 했다. 빠르게만 흘러가는 그의 일상 안에서 시현은 홀로 고요히 멈춰있는 듯했다고 했다. 처음에는 그런 시현이 신기해서 관심을 주다 보니 쉬어가고 싶을 때 생각나는 사람이 되어버렸다는 것이었다. 엄마가 시현이 훌륭한 사람이 되기를 바란 것처럼 정우도 시현이 행복해지기를 바라고 있을 거였다. 멈춰 설 수 있는 곳이라 시현에게 마음이 갔다는 정우는 시현을 조금씩 움직이게 만들고 있었다. 얼만큼이나 따라갈 수 있을지 꼬리를 무는 생각에 빠져 있는데 공방의 풍경 종이 울린다.

"최사장, 바빠?"

공방 맞은편에 있는 옷 가게 사장인 지숙이 불쑥 찾아왔다. 정우가 이 동네에서 유독 싫어하는 곳 하나가 바로 그녀의 가게인 코코아 패션이었다. 동네에 맞지 않는 촌스러운 간판에 트렌드에 맞지 않는 옷을 판다며 곧 망할 것이라는 예언을 하기도 했다. 사실 그녀는 이곳의 토박이이자 마당발이었다. 몇 년 사이, 인스타 감성의 가게들로 가득해진 골목 안에 억지로 꾸며낸 레트로 감성이 아닌 실제 20년이 넘은 가게는 코코아 패션이 유일했다.

"음! 빵 냄새 너무 좋다. 내가 이래서 자기네 오는 게 좋다니까. 그나저나 혹시 케이크 뭐 만들어 둔 것 없을까?"

지숙은 종종 이곳 공방을 기성 케이크 가게처럼 생각하곤 했다. 평소대로 만들어두는 케이크 같은 건 없다고 답할 것이다. 그러다 문득 식어가고 있는 시트가 눈에 들어온다. 예약자도 없이 사진 몇 장만을 남기고 버려질 그것을 잠깐 바라보았다. 끊기지 않은 뭉근한 두통과 함께 초점이 흐려지는 듯했다.

"응? 자기는 꼭 대답이 남들보다 한 박자 늦더라. 없으면 어쩔 수 없고. 우리 어머님 생신인 걸 깜박했지 뭐야. 까먹은 티가 안 나려면 레터링 케이크 들고 가면 딱 좋을 것 같은데. 없으면 뭐 그냥 다른 거 사고 돈이나 더 넣으면 돼. 괜찮아."

반응이 남들보다 느리다는 것은 엄마도 누누이 이야기하던 단점이다. 누군가의 이야기를 꼭 한번은 머릿속에서 되짚어 보아야 대답할 수 있었다. 어느새 눈 안이 화끈거리고 있었지만 괜찮다는 말에 부러 삐딱한 마음이 생긴다.

"만들어 둔 건 없는데 한 시간 뒤에 하나 정도는 완성할 수 있어요."

"한 시간? 너무 좋다. 그럼 나 하나 부탁해. 가만 보면 자기는 대답이 맨날 한 박자 늦게 나와서 그렇지 듣고 나면 내 맘에 다 쏙 든단 말이지. 케이크도 자기네만 한 게 없어. 최고야, 고마워. 한 시간 있다가 찾으러 올게."

급한 사정을 들어주어서인지 지숙이 살갑게 웃으며 부러 시현을 칭찬한다. 원하는 디자인이 있는지 물어보려 주섬주섬 주문서를 챙기는데 지숙이 먼저 테이블 위의 종이를 끌어당겨 빠르게 글자를 적어 준다. 디자인 3번. 박경임 여사님. 사이즈 상관없음. 어느새 공방의 주문 양식을 꿰고 있는 모양이었다. 더 필요한 부분은 없는지 물어보기도 전에 지숙이 먼저 잘 부탁한다며 등을 돌려 나간다.

　예정에 없던 주문에 할 일이 생겼다는 안도감이 든다. 집중하기 위해 핸드폰의 방해 금지모드를 켜고 잔잔히 틀어 두었던 음악도 끄기로 한다. 본격적으로 작업을 시작하기 전 크게 숨을 들이마셔 보았다. 선풍기 바람을 타고 바닐라 시트의 달큰한 향이 밀려온다. 정우의 메시지를 생각하지 않으려 애쓰며 생각을 정리해 보았다. 지숙이 3번 디자인을 주문했으니, 보랏빛이 도는 생크림은 쓸 수 없다. 파스텔톤의 노랑으로 은은하게 바탕 아이싱을하고 테두리를 따라 별 깍지로 크림을 짜내어 밋밋함을 없애야 한다. 그러고 나서 포인트가 될 레터링을 깔끔하게 채워 넣으면 된다. 이제는 뒷목까지 이어지는 두통과 자꾸 흐릿해지는 시야가 마음에 걸렸지만 1시간 안에 끝내야 하는 작업을 생각하니 몸이 저절로 움직였다. 다행히 충분히 식은 시트를 서둘러 삼등분 하고 시트 사이로 크림을 샌딩했다. 은은한 빛을 내기 위해 레몬옐로우 색소를 극소량만 크림볼 벽면에 묻혀둔다. 너무 강한 색이 되지 않도록 조심스레 벽면을 긁으며 크림을 섞어 나갔다. 충분히 색소를 섞은 것 같은데도 좀처럼 원하는 색이 나지 않았다. 초점이 계속해서 엇나가고 있다. 기계적으로 팔을 움직이며 뻑뻑한 두 눈을 힘주어 깜빡였다. 미간을 한껏 좁히고 눈꺼풀을 반쯤 내려 크림을 내려다보자 얼추 색이 완성된 것 같다는 생각이 든다. 남은 시간이 많지 않은 것 같다. 머리는 무겁고 눈앞이 흐리지만 3번 디자인은 꾸준히 인기가 있던 편이라 몸이 움직이는 대로만 하면 잘 마무리될 것이다. 지숙이 적어 준 이름을 다시 한번 확인하고 신중히 짤주머니에 힘을 주었다. 머리 안이 울리는 통에 글자가 구불구불 춤추는 기분이 들었다. 마지막 글자를 적을 즈음 출입문에 달아 둔 풍경 종이 울린다. 벌써 한 시간이 지난 모양이다. 마무리 작업이 조금 남아서 낭패라는 생각이 들었지만 일단 마지막 글자를 마무리하고 고개를 들었다.

"작업하느라 전화 안 받았나 봐? 업로드하려고? 그걸?"

정우였다. 한 손에는 테이크아웃 커피를 든 채 고개를 기울이는 것이 기분이 좋지 않은 것 같다. 기울어진 고개 위로 눈코입이 한껏 모여들었다. 도무지 이해할 수 없다는 듯 찌푸린 얼굴을 보며 어떤 것을 먼저 대답할지 고민하는 사이 정우가 먼저 답을 내려준다.

"그건 그냥 올리지 마. 너무 별로야."

정우가 고개를 유난히 크게 내저으며 진저리치듯 말했다. 3번 디자인은 이미 몇 번 업로드한 적이 있어 식상하긴 할 테지만, 정우가 아이디어를 주어 함께 개발한 디자인인데 이렇게까지 박한 평을 내리는 것에 마음이 상했다. 자꾸 시야가 흐려지더라니 아무래도 급하게 주문받아 케이크가 깔끔하게 나오지 않았나 보다. 방금까지 만들던 케이크를 바라보니 느닷없는 번쩍임과 함께 눈 안쪽을 송곳으로 찌르는 듯한 날카로운 고통이 지나갔다. 시현은 짤주머니를 내려놓을 새도 없이 일그러지는 한쪽 눈을 짚었다.

"아까 내가 얘기했던 아이디어 말야. 내가 좀 알아보니까 인스타 계정 그렇게 일일이 힘들게 품앗이하면서 관리할 필요가 없더라. 팔로워도 늘리고, 좋아요도 원하는 거에 맞춰 늘려주고 하는 거 좋은 업체가 많더라. 몇군데 견적 내보고 제일 괜찮은 데로 내가 주문 넣었어. 요금은 내가 한 번 더 투자하는 셈 치고 내주는 거니까 너무 부담가지지 말고."

참을 수 없는 고통에 눈을 짚은 시현을 보지 못한 걸까. 정우의 대화는 또다시 시현이 따라가기 어려운 속도로 멀리 흘러가고 있었다. 시현은 정우가 조금 더 잘 볼 수 있도록 몸을 틀고는 나머지 손으로 다른 눈과 이마를 괴로운 듯 움켜쥐었다.

"부담돼? 괜찮아. 우리 부모님도 의외로 인스타 유명인에 관심 많더라. 하여간 돈 되는 거라면 뭐든지 다 눈여겨보는 사람들이거든. 아무튼 좀 투자해서 번듯하게 키워놓으면 좋지 뭐. 확실히 자리 잡으면 우리 부모님께 인사도 드리고 그러자. 좋지?"

정우에게서 부모님께 인사드리자는 이야기가 나온 것은 처음이었다. 어느새 이만큼이나 흘러온 것인지 머리 안이 뜨거워진다. 공방에 찾아온 지 5분이 채 안 되었을 정우에게 대답해야 할 질문이 감당할 수 없을 만큼 쌓여 가고 있었다. 섬광과 같은 통증은 지나갔지만 뭉근하게 가라앉는 느낌은 가라앉을 기미가 보이지 않았다. 일단은 무어라도 대답해야 너무 멀리 흘러버린 듯한 정우의 생각을 붙들어 둘 수 있을 것 같았다.

"아니, 이건 업로드용 아니고 코코아 사장님이 아까 급하게 주문했어. 이제 금방 찾으러 오실 시간이라 마무리 빨리해야 해. 사실 지금 눈이 좀 안 좋긴 한데…."

케이크에 대한 오해부터 풀고 오늘 내내 시현을 괴롭히던 이상한 현상을 이야기하려 말끝을 흐려본다. 눈을 문지르고 있노라니 눈앞을 날아다니던 아지랑이와 섬광 사이에서 어떤 것을 이야기할지 갈피를 잡을 수 없었다.

"아, 어쩐지. 레트로풍인가 했더니 그 여자가 그런 촌스러운 색깔로 바꿔 달라고 한 거였구나? 그 여자는 뭐 여기가 동네 빵집도 아니고 당일 주문을 하냐. 당일 주문은 원래 받으면 안 되는데. 일단 받았으니 어쩔 수 없지만 다음부터는 당일에 받지 마."

시현이 망설이는 사이 정우가 또 다른 조언을 해주었다. 당일 주문을 받지 말 것. 오늘의 케이크 색상은 레트로 풍이 아닌 촌스러운 색. 그런데 3번 디자인은 정우가 아이디어를 내 준 것이라 색상마저 그의 추천으로 이루어진 것이었다. 무엇이 촌스럽다는 것일까.

"어떤 색 말하는 거야? 이거 3번 디자인 기본세팅이잖아."

"뭐? 무슨 소리야. 바탕도 촌스럽게 샛노랗고 글자도 쎄한 게 완전 다른데. 세팅 바꿨어?"

"이거 다 자기가 추천해줬던 처음 세팅 그대론데 무슨."

"너 진심이야? 이게 똑같이 한 거라고? 눈이 진짜 삐었어? 이거 봐 봐. 이게 지금 똑같이 보인다고?"

하나의 물음 뒤로 또 다른 물음이 이어질 때마다 점점 정우의 목소리가 높아졌다. 정우가 바짝 다가오며 핸드폰 화면을 들이밀었다. 말끝이 한없이 길고 높았다. 원색적인 그의 물음이 천장 위로 솟아올랐다가 시현의 정수리로 꽂혔다. 유난히 더디게 진행되던 조색 과정이 떠오르며 머리가 무거워졌다. 한 치 앞으로 들이밀어진 화면과 힘들게 만들어낸 케이크가 함께 눈에 들어왔지만, 정우의 비난을 받을만한 차이는 보이지 않았다.

"하. 장난치지 마. 나 안 그래도 오늘 눈 때문에 컨디션 안 좋아. 머리도 좀 아프고."

"와. 너야말로 장난 아닌 거지? 이게 지금 똑같아 보이면 진짜 큰일 난 건데. 너 이러다 공방 말아먹겠어. 이러면서 무슨 케이크 디자이너라고. 아, 이러면 안 되는데."

짓궂은 장난일 거라 믿었던 비난이 한층 더 날카롭게 날아든다. 오후부터 시현을 괴롭히던 눈과 머리의 통증이 가슴팍으로 내려앉은 듯하다. 심장이 쿵쾅거릴 때마다 정우의 얼굴도 조금씩 뭉개지는 것 같았다. 시현이 아프다는 말은 하나도 듣지 못한 것처럼 공방만 걱정하는 정우가 새삼 다른 행성에서 온 생명체만큼이나 멀게 느껴졌다. 시현과 다른 사람인 건 알고 있었지만 적어도 그녀를 걱정해 주는 고마운 사람이었던 그가 사실은 시현보다는 다른 것을 더 걱정하고 있는 것 같다. 짜증 섞인 그의 말을 듣고 있자니 겨우겨우 나아가고 있던 보트 위에서 패들을 떨어뜨린 기분이 들었다. 색조차 제대로 보지 못하는 디자이너. 앞으로 나아갈 수는 있는 건지 주변이 온통 깜깜하기만 하다.

"정우 씨도 있었네. 나 케이크 찾으러 왔는데, 저건가?"

정처 없이 나락으로 가라앉으려던 시현을 지숙의 목소리가 붙잡아 올린다. 마무리 작업을 끝내지 못한 케이크지만 레터링의 이름을 알아본 지숙이 테이블 너머로 고개를 빼며 몸을 기울인다.

"네. 그런데 아직 마무리 작업이 조금 남아서요. 금방 끝낼게요."

"아, 그래? 그럼 끝나면 가게로 좀 가져다줄 수 있을까? 내가 바로 현금으로 줄게."

정우가 촌스럽다고 말한 케이크의 색상이 눈에 들어오지 않는 것인지 지숙은 눈을 반으로 접으며 유독 생글거리며 웃었다. 금방이라도 지숙이 트집을 잡을까 가슴이 두근거렸다. 정우의 의견을 이야기해 주어야 할지 고민이 되었지만 일단 시현도 모르게 고개를 끄덕이고 만다.

"사장님. 지금 케이크 컬러가 좀 잘못 나와서 금방은 안되고 좀 기다리셔야 할 거 같아요. 일단 당일에 너무 촉박하게 주문하시기도 했고 해서. 혹시 여유 안 되시면 그냥 취소하셔도 돼요."

고개를 끄덕이기 무섭게 정우가 공방의 사장이라도 되는 것처럼 지숙을 몰아붙인다. 무안해진 시현은 안중에도 없이 케이크를 한번 지숙을 한번 바라보는 정우의 눈빛이 뾰족했다. 공방 안에서 촌스럽고 쓸모없어진 것은 케이크만이 아니라 시현도 마찬가지인 것 같다.

"컬러? 왜? 화사하고 이쁘기만 한데 뭐. 괜찮아. 우리 어머님이 좋아하실 것 같애. 나 케이크 되는 대로 출발할 거니까 얼른 그냥 마무리해 줘. 최사장이 된다는데 뭐. 그치? 그럼 부탁할게 최사장."

의아하다는 듯 지숙이 눈을 동그랗게 뜨고는 마무리를 재촉했다. 양해를 구한 정우가 아닌 시현을 바라보며 대답하는 지숙의 모습에 조금은 쓸모를 찾은 것 같다. 시간이 촉박한 탓에 마음에도 없는 칭찬을 했을 수도 있지만 그녀가 시현의 팔을 가볍게 흔들고 눈짓을 보내자 조금 더 크게 고개를 끄덕여 주었다. 지숙은 시현의 대답을 확인하자마자 만족스럽게 웃으며 통통거리는 발걸음으로 공방을 빠져나갔다.

지숙이 사라지는 것을 확인한 정우가 혀를 차며 시현이 만든 케이크와 지숙을 함께 깎아내리기 시작했다.

"하여간 파는 옷만 봐도 눈썰미가 없는 거 내가 알았지. 이걸 어떻게 그냥 화사하다고 하지? 완전 촌티 팍팍인데. 뭐 어머님 드린다니 그럴 수 있는 건가. 아무튼 이따 가져다줄 때 혹시 케이크 사진 찍어서 인터넷에 올리거나 하지는 말아 달라고 해. 올리더라도 공방 이름 빼달라고. 올리기 부끄러운 퀄리티야."

마음을 가라앉히고 작업을 해보려 했지만, 마무리도 전에 남에게 보이기 부끄러운 것으로 만들고 있는 정우의 말을 듣자니 명치 끝부터 뜨거운 것이 울컥 올라왔다. 언젠가는 시현도 그에게 남부 끄러운 존재가 될 것만 같았다. 케이크 위의 글자들이 뭉크러지고 있다. 시현의 마음도 으끄러졌다.

"코코아 사장님이 괜찮다고 하잖아. 나 오늘 눈이 좀 계속 안 좋 았어. 컬러가 이상한 거 알겠으니까 너무 그렇게 말하지 말고 이것 만 마무리하면 우리 이따가 같이…"

함께 병원에 가서 검사라도 받아 보자고 이야기하려는데 정우 의 핸드폰 벨이 울렸다. 시현이 말을 이어가고 있었지만, 정우는 주저 없이 한 손으로 시현의 말을 막고는 등을 돌리며 전화를 받 았다. 커다란 정우의 등은 주름 없이 펼쳐져 있어 자그마한 걱정이 나 위로 한 조각도 새어 나올 틈이 없어 보였다. 짧은 통화는 정우 를 아주 멀리 데려갔다.

"나 지금 누가 집 보러 오겠다고 해서 가봐야겠어. 내일부터 아 버지랑 몇 군데 임장하기로 해서 좀 바쁠 것 같은데 일단 아까 내 가 얘기한 건 오늘부터 작업 들어가는 거로 알고. 나중에 또 얘기 하자."

이야기를 시작할 틈도 없이 정우와의 대화가 끝이 나고 있었다. 그에겐 늘 부모님과 부동산이 우선이었다.

"잠깐 근처 안과라도 같이 가면 안 될까? 나 진짜 좀 걱정되어 서 그래."

"집 본다는 사람이 지금 바로 앞이래. 병원 갈 거면 택시 타고 저기 큰 데로 가고."

혼자서 병원을 찾을 엄두가 나지 않아 급하게 정우를 불러 세워보았다. 한 톨의 걱정도 닿지 않는 빠른 대답이 시현을 더 불안하게 만들었다. 영영 제대로 된 색을 볼 수 없다는 진단을 듣게 될까 봐 가슴이 쿵쾅거린다. 빠른 걸음으로 문 앞에 닿은 정우가 멈칫하며 다시 조리대 앞으로 다가왔다.

"아, 참. 너 주려고 스페셜티 커피 사 왔는데 도로 들고 갈 뻔했네. 유명한 데서 산 거야. 그럼 이제 진짜 간다."

손끝이 떨릴 만큼 걱정이 되는데도 정우가 주는 것은 고작 차게 식은 커피 한 잔뿐이었다. 한결같이 노란 봉지 커피를 고집하며 즐겨 마시는 시현에게 정우는 끊임없이 커피의 진짜 맛을 알려준다며 새로운 커피를 사다 주고 있었다. 모든 프랜차이즈의 시그니처 메뉴나 이달의 메뉴에서부터 유명한 바리스타의 비법 조합까지 수많은 커피를 마셔보았지만 시현에게 커피란 그저 종이컵에 뜨끈하게 담아진 노란 봉지 커피가 제일이었다. 몇 번을 일러주어도 네가 모르는 세계를 알려주겠다는 대답이 돌아왔다. 혹시 하는 마음에 테이크 아웃 잔을 손에 쥐어 본다. 역시나 차가운 종이컵 안으로 흘긋 보이는 시커먼 물에서는 알고 싶지 않은 향이 미미하게 풍겨왔다. 한 모금도 마시고 싶지 않았다. 정우가 알려주는 새로운 세계는 어쩌면 시현에게 너무 버거운지도 모르겠다. 흐릿한 시야로 공방을 둘러보니 이곳을 지켜낼 수조차 있을지 걱정이 되었다. 울컥 눈물이 날 것 같은 기분으로 폐기처분 될 뻔한 케이크를 꾸역꾸역 마무리했다.

*

정우가 임장 투어를 떠난 며칠 동안 인스타그램 아이콘 위로 쉴 새 없이 하트가 날아들었다. 올려둔 게시글마다 하트 눈을 한 노란 얼굴이 댓글로 달리는가 싶더니 어느새 팔로워 수가 세 자리를 넘어섰다. 어떤 계정은 알 수 없는 숫자들만 나열되어 있었고, 또 어떤 계정에는 아주 익숙한 이름이 섞여 있어 이상한 기분이 들었다. 얼마인지 모를 돈으로 꾸며낸 가짜들 속에 왠지 하나쯤은 진짜도 있을 거라는 기대가 섞여든다. 좋아요가 끊임없이 쌓이고 있었다. 새벽과 한낮을 가리지 않고 알림이 쌓이는 통에 푸시 알림을 일시 중단해야만 했다. 그러자 정작 주문 문의가 들어오는 것을 놓칠지 걱정이 되어 온종일 핸드폰을 붙들고 메시지함을 확인하고 또 확인하게 되었다. 화면을 들여다볼 때마다 출처를 알 수 없는 빨간 하트가 시야를 어지럽혔다. 때때로 눈앞이 흐려질 때가 있었지만 한참을 기다리면 밝아진 시야가 돌아오곤 했다.

며칠 새 전부터 예약되어있던 예닐곱 개의 주문을 완성했고, 알맹이 없는 관심 사이에 휘말려 날아온 열댓 개의 진짜 주문을 스케줄러에 입력했다. 날짜를 확인하는데 유독 초점이 잡히질 않는다. 동네 안과에도 찾아가 보았는데 일단은 한동안 스마트폰 사용과 스트레스를 줄여보라는 성의 없는 진단을 들었다. 흐릿한 눈으로도 알 수 있는 오래된 기계를 가진 허름한 안과가 마음에 들지 않았지만 큰 병원을 예약하려면 한 달 후에나 가능하다니 어쩔 수 없는 일이었다. 정우에게 이야기하니 시력에 대한 걱정보다는 새로 유입되었다는 예약자들에 대한 기대만이 메시지로 돌아왔다. 한번 마음먹은 것은 어떻게든 밀어붙이는 정우이니 공방을 키우겠다는 그의 생각은 실행되어야만 할 것이다. 그런데 정작 사장인 시현은 케이크 작업이 점점 더 힘들게만 느껴졌다. 시현의 이름을 딴 이 공방을 지키려면 시력에 문제가 없어야 할 것이다. 키우기는커녕 망하게 할 것 같은 불안감이 몸집을 키워갔다. 내일 서울로 돌아올 정우에게 이런 생각을 이야기하면 무어라 이야기할까. 망해버린 공방 사장은 정우가 원하지 않는 수식어일 것은 분명하다. 그렇다면 그와 그의 부모님이 원하는 수식어를 찾을 때까지 다른 길을 찾자고 할지, 쓸모를 다했다며 등을 돌려 떠나버릴지 가늠해 본다. 메시지를 보내보려 핸드폰을 켜니 글자가 뿌옇게 멀어지며 구불구불 춤을 춘다. 복잡한 마음을 구불거리는 글자들로는 적어 내려갈 수 없을 것 같다. 내일 예약된 세 개의 케이크를 어떻게든 작업하고, 정우를 만나야겠다.

　다음 날은 유독 잠자리에서 일어나기 힘들었다. 무거운 머리로 공방 앞에 서서 도어락을 터치했다. 순간 키패드에 낯선 숫자들이 떠오른다. 1뒤에 3, 3 뒤에 8, 8 밑에는 0. 시스템이 업그레이드되어 무작위 배열로 바뀐 걸까. 조금 더 집중해서 숫자를 바라보니까만 키패드 위로 하얀 디지털 숫자가 점점 더 크기를 불려 나갔다. 하얗게 번지는 숫자에 눈이 시리도록 아팠다. 광대 위로 튀어나온 볼이 아프도록 눈을 꾸욱 감았다 뜨니 아무렇지 않게 제자리에서 반짝이는 숫자들이 보였다. 천천히 암호를 입력하자 관자놀이를 찌르는 듯한 날카로운 기계음과 함께 뿌연 공방이 눈에 들어왔다. 환기가 제대로 되지 않는지 공기가 하얗게 머리를 짓누른다.

무거운 안개에 휘감기는 느낌에 고개를 흔들며 조명을 켰다. 예리한 형광등 조명이 머릿속까지 찔러온다. 공방의 모든 것이 안개에 휩싸였다. 다시 한번 고개를 휘저어 본다. 뿌연 안개 안으로 아지랑이가 피어났다. 시트를 보관해 둔 냉장고의 상판에는 무섭도록 환한 빛이 번지고 있었다. 색소를 담아둔 바구니 안으로 경계가 불분명한 네모난 무지개가 구불거렸다. 관자놀이 안으로는 아프도록 빠른 맥박이 느껴졌다. 호흡이 가빠졌다. 픽업 시간이 얼마남지 않은 케이크들의 디자인이 머릿속을 떠다녔다. 눈알이 뜨끈해지며 안구 뒤로 열기가 모여드는 듯하다. 가방 안을 더듬거려 찾아낸 핸드폰을 들자 떨리는 손 위로 화면의 빛마저 번져가고 있다. 병원을 가야겠다는 생각이 들었다. 막막한 상황에 시현은 저도 모르게 정우에게 전화를 걸었다.

"괜찮아? 나 보여? 얼만큼이나 안 좋은 거야?"

제법 다급한 발소리와 함께 얼마 지나지 않아 정우가 도착했다. 끝 모를 두려움에 질끈 감고선 뜨지 않던 눈을 살며시 열어본다. 걱정스러운 그의 얼굴이 어쩐지 또렷하다. 주저앉아 있던 웅크렸던 몸을 천천히 펴며 공방을 둘러보았다. 뿌연 느낌은 사라지지 않았지만 무섭게 번져가던 빛과 통증은 가라앉은 듯하다.

"아까보다는 괜찮아진 것 같아. 근데 아직 눈앞이 뿌얘. 어떡하지? 나 이러다 아무것도 제대로 안 보이면 어떡해?"

"아닐 거야. 요즘 계속 잠깐씩 안 좋았다가 괜찮아졌다며. 스트레스성인가 보지 뭐. 그나저나 오늘 예약은? 픽업 시간 얼마 안 남은 거 아냐?"

정우가 도착하는 대로 함께 병원을 가려던 생각이었는데 그의 물음에 말문이 막히고 만다. 한동안 뜨끈 거리던 눈과 머리를 식히기 위함인지 온몸이 차갑게 가라앉으려 했다. 그에게 지금 아픈 시현보다는 미래에 유명해질 공방의 사장님이 더 중요한 게 틀림없다. 하지만 이대로라면 색을 구분할 수도 없고 찌그러진 글자밖에 짜낼 수 없을 것이다. 하나의 목표가 생기면 경주마처럼 앞만 보는 사람이란걸 알면서도 고개를 돌려 자신을 봐주기를 바랐다. 정우가 원할 때만 멈춰서 들렀다가 혼자 앞서가는 게 아니라 시현이 원하는 순간에 함께 머무르다 함께 손잡고 갈 수는 없는 걸까. 어느새 어깨를 짚어주던 손을 들어 스케줄러를 짚어 예약 일정이 확인하는 정우가 보였다. 흐린 시야 사이로 그의 집게손가락이 더 멀어지는 것 같다.

"아, 바로 작업 시작해야겠는데? 약간 뿌옇다고 했나? 어떡하지 그럼. 그러고 보니 지난번에 코코아 사장 케이크도 그래서 색이 그렇게 이상했던 건가? 그럼 큰일이긴 하네. 내가 색은 좀 봐줘야겠다. 어때?"

제대로 된 걱정조차 없는 정우의 말에 화가 치밀었다. 여기 주저앉아 있는 시현 따위는 안중에도 없이, 시현이 갈 수 없는 미래만 짚고 있는 듯한 정우의 손가락이 미치도록 태연하다. 알 수 없는 충동에 휩싸여 손가락을 있는 힘껏 움켜쥔다. 부러져도 좋으니 내 고통을 조금이라도 느꼈으면 좋겠다.

"나 아프다고. 작업이 문제가 아니잖아. 지금 아무것도 못 하겠다고. 눈이 이 모양인데 뭘 어떻게 해. 빨리 병원 좀 알아봐 줘."

손가락 하나를 움켜쥔 손이 바들바들 떨렸지만 정작 정우는 별다른 아픔도 느끼지 못하는지 그저 당혹스러운 표정으로 시현을 바라보기만 했다.

"좀 괜찮아졌다며. 응급실 갈 정도는 아닌 것 같은데. 이런 걸로 응급실 가봤자 한참 기다리기만 하고 거기서는 연차도 안 되는 의사들밖에 못 봐. 내가 전화 좀 돌려서 유명한 데로 예약할게. 일단 많이 아픈 거 아니면 당장 예약된 거는 작업해 줘야지. 그 사람들도 중요한 스케줄이라 예약한 걸 텐데 취소되면 장난 아니게 화낸다고. 별점 테러 받을걸."

얼핏 그럴싸하게 들리는 정우의 논리에 구역질이 난다. 언제나 합리적인 사람이라 믿고 따를 수 있겠다고 생각했던 시현이 바보처럼 느껴졌다. 그에게 의지했던 모든 순간을 뱉어내고 싶다.

"별점 테러가 중요해? 나 이러다 앞이라도 못 보면 공방이고 뭐고 아무것도 못 한다고. 그럼 안 되잖아. 아냐? 지금 제일 중요한 건 나라고. 걱정도 안 돼? 내 눈이 괜찮은지 봐야 뭐든 할 거 아냐."

"아니, 당연히 네 걱정은 하고 있지. 근데 봐. 지금 나랑 이렇게 눈도 마주치고 괜찮은데? 아픈 것도 덜하다고 했고. 지금 응급실 가서 시간 낭비하나, 예약 제대로 잡고 가서 의사를 보나, 치료받는 건 비슷할 거야. 그럴 거면 좀 급한 일은 처리하고 가는 게 맞지. 사장인데 책임감 느끼지 않아?"

"내가 못 하겠다고 하잖아. 사장인 내가 못 하겠다고. 내 공방은 그냥 신경 쓰지 마. 자기가 왜 나보다 내 공방 주문을 더 신경 쓰는데. 나를 더 걱정해줘야 하는 거 아냐?"

도돌이표처럼 정우가 원하는 곳으로만 돌아오는 대화에 점점 진절머리가 난다. 목소리 끝이 떨려왔다. 눈이 시큰해 오는 것이 눈물 때문인지 또다시 시작되려는 눈의 통증 때문인지 모르겠다.

"너 걱정한다니까. 근데 너도 구급차 타고 갈 정도는 아니니까 나 부른 거잖아. 네가 아프니까 좀 예민해져서 그런가 본데 잠깐 흥분 가라앉히고 잘 생각해 봐. 내 말이 다 맞는다니까. 그리고 나도 공방에 투자한 게 있는데 당연히 신경이 쓰이지. 공방 신경 쓰는 게 다 너 걱정해서 그러는 거야. 우리 부모님 장난 아니게 까다로운데 여기라도 좀 그럴듯해야 네가 어깨 좀 펴고 얘기할 거 아냐. 리뷰에 막말이라도 쓰여 있으면 너도 부끄러울 거고. 내 맘 알지? 너 편하라고 그러는 거라니까."

시현을 걱정한다지만 결국은 시현이 남부끄러운 존재가 걱정된다는 말로 들렸다. 곁에서 아무리 고통스러워해도 그럴듯한 존재가 되기만 하면 정우는 괜찮다고 할 것이다.

"그럴듯한 게 대체 뭔데? 언제는 내가 한결같이 그대로 있어 주는 게 편하다며. 근데 왜 자꾸 날 억지로 분수에도 안 맞는 곳에 끌고 가려고 해. 나 그런 거 필요 없어. 그냥 전처럼 내가 감당할 수 있을 만큼만 하고 싶은데 눈이 이 모양이라 그것도 못 하게 생겼다고!"

한 마디 한 마디 내뱉을 때마다 속이 울렁거리고 눈이 화끈거린다. 뱉어 놓고 보니 더 억울해지는 마음에 마지막은 절규처럼 내지르고 말았다.

"아니, 진정해 봐. 너 한결같은 거 너무 좋지. 내 말 너만큼 잘 들어 주는 사람도 없고, 알아. 지금도 좋아. 근데 그냥 우리 부모님이 마음에 드실 만큼만 조금만, 아주 조금만 더 키우자는 거야. 내가 받을 게 많아서 그래. 그럼 너도 좋은 거고. 조금만 노력하면 그 뒤엔 그냥 유유자적하면서 살아도 된다니까."

정우가 일단은 아니라고 대답하며 시현의 어깨를 얼래듯 잡아끌었다. 바짝 다가온 그의 숨에서 언제가 맡았던 묘한 커피향이 풍긴다. 한결같음이 좋다던 그는 사실 부모님의 말씀이면 무엇이든 잘 따르는 자기처럼 순순히 변하길 바라는 것 같다. 시현이 의지하고 싶었던 사람은 그녀를 있는 그대로 천천히 이해해 주고 함께 기다려 줄 사람이었다. 하지만 같은 자리에서 걱정을 나누고 고민을 풀어주는 사람은 이곳에 없었다.

"알겠지? 내가 병원 예약하고 있을 테니까 요거 하나만 만들자. 색 조합할 때 나한테 물어보고. 아 참, 우리 엄마한테 슬쩍 인스타 보여주니까 좋아하시더라. 다음 주 생신인데 그때 2단 케이크 같은 거 만들 수 있냐시던데? 걱정 마, 잘 될 거야."

시현 곁에 남아있는 것은 끊임없이 자기가 원하는 곳으로만 데려가려는 배려없는 정우 뿐이었다. 언제 이렇게까지 끌려온 걸까. 핸드폰을 뒤적이며 냉장고의 재료들을 주섬주섬 챙겨 올리는 정우가 소름끼쳤다. 정우의 말이라면 따라가기 바빠 정작 정우가 시현의 이야기는 제대로 들어주지 않는다는 걸 잊었나 보다. 그가 생각하는 방향이 아니라면 아무것도 들리지 않는 것 같다.

"못 해."

피가 날 만큼 아랫입술을 깨물며 겨우 두 글자를 뱉어냈다. 작은 목소리가 들리지 않았는지 정우는 이제 색소 바구니를 뒤적거리며 몇 가지 색상을 챙기고 있었다. 예약된 주문에는 필요하지 않은 색상들이다. 아니, 시현의 눈으로는 제대로 된 색상을 알 수 없는 것 같다. 푸른빛이 도는 색소통을 원망스럽게 바라보는데 또 한번 감당할 수 없는 섬광이 시야를 덮었다. 머속에 번개가 쳤다.

"못 한다고! 못 해! 안 해!"

정우의 앞에서는 좀처럼 큰 소리 한번 내본 적 없었지만, 발바닥 밑부터 올라오는 감정을 목울대에 담아 공방을 망가뜨릴 기세로 미친 듯이 질러댔다. 그제야 정우가 하던 것을 멈추고 멍하니 시현을 바라보았다. 눈앞에 낀 안개 탓에 그의 얼굴이 제대로 보이지 않는다. 눈앞을 구불거리는 베이킹 기구들이 시현은 이제 쓸모없는 사람이라 놀리고 있는 것 같다. 조리대 위로 팔을 거칠게 휘저었다.

챙그랑 소리와 함께 커다란 크림볼이 정우의 밑 발치로 굴러간다. 정우는 그제야 병원에 가자며 시현에게 다가왔다.

*

"망막박리가 진행 중인 것 같습니다. 황반이 분리되어서 초응급상황은 아니지만 그래도 수술하는 게 좋을 것 같으니 나가셔서 수술 스케줄 잡으세요."

결국 정우의 도움을 받아 들어온 진료실에서 의사가 무미건조하게 말했다. 내심 기껏해야 약만 몇 꾸러미 받을 것으로 기대했던 시현은 수술해야 한다는 말에 가슴이 덜컥 내려앉았다.

"초응급이 아니면 그래도 다행인 거네요. 수술을 좀 며칠 있다가 해도 되는 거죠?"

함께 들어온 정우가 거보란 듯이 웃으며 의사에게 묻는다. 수술해야 한다는데 안심했다는 듯 웃고 있는 정우를 이해할 수가 없었다. 응급상황은 아니라는 말이 맞았다는 듯 으스대는 꼴에 한숨이 나왔다.

"환자분이 급한 상황이 있으시면 조절하실 수는 있는데 삼일 안에는 하는 게 좋죠. 너무 미루면 실명 위험도 있으니 되도록 빨리 잡으시고. 수술 관련 자세한 이야기는 밖에서 간호사가 설명해 줄 겁니다."

할 말을 다 했다는 듯 문 쪽을 쳐다보는 의사는 시현의 질문 같은 건 들어주지 않겠다는 듯 냉담했다. 한 시간이 넘게 병원을 돌고는 정작 의사의 소견을 들은 것은 3분도 안 되는데 다시 간호사를 기다려야 할 것 같다.

떨어지지 않는 무거운 발을 끌며 진료실을 나오니 아이의 울음소리가 고막을 파고들었다. 드림렌즈가 얼마나 좋은 것인지 설명하려는 엄마와 당장 집에 가고 싶은 아이의 실랑이가 이어지고 있었다. 의사 선생님 보고 나면 초코아이스크림을 사주겠다는, 조금만 참으면 앞으로 계속 더 잘 볼 수 있을 거란 들쭉날쭉한 위로가 이어졌다. 새빨간 원피스를 입은 꼬마는 렌즈 따위 필요 없다며 소리쳤다. 아이는 사람들이 쳐다보는 것에도 아랑곳없이 바닥에 누울 기세로 목청을 높여 울고 있었다. 문득 시현도 아이처럼 울고 싶어졌다. 망막박리가 얼마나 위험한 것인지 실명을 할 수 있다는 말은 무엇인지 묻고 싶은 것이 많았는데 쫓겨난 듯한 기분이었다. 어쩌면 간호사에게서 설명을 들을 수 있을 거란 기대를 안고 주위를 둘러보는데 시야가 여전히 뿌옇기만 하다. 앞날에 대한 기대조차 새하얗게 막혀 버리는 것 같다. 불현듯 견딜 수 없는 어지러움이 느껴져 비틀거리며 곁에 선 정우의 팔을 잡았다. 함께 걸을 수 없는 사람인 걸 아는데도 막막한 기분에 한 번 더 기대고 싶어진다. 제 팔을 감아오는 손을 느꼈는지 그가 반대편 손을 들어 시현의 손등을 무심하게 툭툭 쳤다. 고개를 돌려 시현의 표정을 바라보지도, 올려 둔 손을 감싸 잡아 주지도 않는다. 몸을 움직여 맞춰 줄 생각 없이 손끝으로 살짝 두드리는 그 두 번의 손짓이 그냥 놓아 달라는 의미인 것도 같다. 이제 그만하면 되었다는 신호를 받은 것 같아 가슴이 서늘해진다. 정우가 핸드폰 진동을 느꼈는지 핸드폰을 꺼내 들었다. 이제 수술 날짜를 잡아야 하는데 시현을 두고 가려는 건 아닐 거라고 생각하지만 가슴 한구석에서는 이미 다른 생각이 자리를 잡고 있다.

"아, 이거 중요한 전화라. 시끄러워서 안 되겠다. 수술은 일단 간호사가 괜찮다는 만큼 좀 늦게 잡아. 워낙 유명한 교수라 수술만 하면 끝이지 뭐. 그래도 수술 끝나고 좀 누워있어야 할 테니까. 그러면 작업도 못 할 거 아냐. 그동안 취소 안 되는 거 몇 개라도 가능한 만큼 만들고. 알지? 우리 엄마 것도 근사하게 하나 만든 다음에 후련한 마음으로 수술 들어가는 게 너도 편하지? 나 전화하고 밑에서 기다릴게."

속사포처럼 던지는 정우의 말이 저주라도 되는 것처럼 진득하게 몸을 달라붙는 기분에 진저리를 쳤다. 부르르 떠는 시현을 바라보지도 않은 채 제 할 말을 끝내고 미련 없이 돌아선 정우의 걸음이 여느 때 보다 빠르다.

수술이 늦어지면 실명할 수도 있다는 의사의 말을 못 듣지는 않았을 것이다. 그런데도 수술을 최대한 늦추라는 건 의사를 그만큼 믿는다는 뜻은 아닐 것 같다. 혹시라도 수술이 잘못되면 지금처럼 미련 없이 등을 돌려 떠나면 그만이니 투자한 만큼은 써야겠다는 영악한 판단인 듯하다. 앞을 볼 수 없을지도 모른다는 막막한 두려움에 홀로 떨어진 시현의 머릿속을 온통 부정적인 생각들이 채워간다. 시현이 믿었던 사람은 정말 그 자리에서 기다리고 있을까. 그곳으로 갈 수는 있는 걸까. 눈알 깊숙한 곳이 찌르르 울리며 아니라는 신호를 보내온다. 결국 시현만을 위한 결정은 시현이 오롯이 해내야만 한다.

아이의 울음은 그칠 줄을 몰랐지만 어쩐지 시현의 울음을 대신해 주고 있는 것처럼 소리가 커질수록 마음이 개운해졌다. 뿌연 시야지만 대기실의 빈 의자가 어슴푸레 눈에 보인다. 지친 몸을 기댈 만한 한 자리가 있다는 건 망가진 눈으로도 알아낼 수 있었다. 의자 깊숙이 엉덩이를 밀어 넣고 고개를 뒤로 젖혔다. 번져가는 형광등 불빛에 눈이 찌푸려진다. 으깨진 것들을 구태여 눈에 담지 않고 눈꺼풀을 꾹 닫았다. 눈꺼풀 안쪽이 새빨갛게 너울거린다. 곧이어 아무것도 들리지도, 보이지도 않았다. 서늘해진 가슴 깊은 곳에서 무언가가 단단하게 차오르고 있었다. 머릿속 복잡한 생각이 녹아내릴수록 더 단단해지는 그것이 나를 지켜줄 것 같았다. 재촉하지도, 대답을 바라지도 않는 그것은 아주 천천히 더 단단해질 것이다. 시현이 막막함에 허우적거릴 때도 자기의 잇속밖에 모르는 남자보다는, 작지만 단단한 그것이 더 중심을 잡아 줄 게 분명하다. 시현은 자신에게 도움이 아닌 위험하기만 한 사람을 겨우 알아보았다는 것을 깨달았다.

"최시현님, 최시현님 계신가요?"

간호사의 부름에 퍼뜩 눈을 뜨니 어쩐지 눈앞이 조금 밝아진 느낌이다. 가장 빠른 날짜에 수술할 것이다. 정우의 강요 따위는 염두에 두지 않기로 한다. 시현의 행복을 바라서라는 그럴듯한 허울에 더는 넘어가지 않을 것이다. 어쩌면 이미 조금은 멀리 끌려와 있는지도 모르지만, 너무 늦지는 않았기를 바란다. 시현은 간호사에게 오늘 당장 수술받을 수 없는지 물었다.

관계, 이제는 상처를 넘어서

박선순

에세이

박
선
순

영문학을 전공했다. 대학 시절 제임스 조이스의 '의식의 흐름'에 빠져 계속 공부하고 싶은 마음도 있었지만, 잡지사에서 인턴기자를 하면서 삶의 방향이 바뀌었다.

20여 년 기자로 지내면서 패션 육아 정치 사회 문화 등 모든 분야를 다뤘다. 노동자부터 대통령까지 인터뷰를 잘하는 기자로 취재원들 사이에서 인기도 많았다. 프리랜서 선언을 한 뒤 대치동 전교 1등 엄마로 뻐기며 살았다.

더불어 사는 삶을 지향하는 편이어서, 다양한 곳에서 위원을 맡아 활동하고 있으며 생색내면서 기부도 하며 열심히 봉사한다.

그럼에도 불구하고 채워지지 않는 공간은 글에 대한 목마름이었다. 반백 살에 과감하게 자기 이야기부터 꺼내 쓰는 이유다.

'글 쓰는 여자는 사라지지 않는다'라는 말을 좋아하는데, 언젠가는 이 말이 자신을 향해 하는 말이길 소망한다.

관계, 이제는 상처를 넘어서

새벽

새벽 3시, 어김없이 잠에서 깬다. 누군가는 하루를 시작할지도 모르는 이 시간에 나의 고민도 다시 깊어진다. 며칠째 그놈의 '관계'에 대한 상념이 끊임없이 내 주변을 맴돈다.

지목할 수 있는 어떤 대상도 없고 이해할 수 있는 이유도 없다. 어느 순간 관계라는 게 불편해졌다. 오지랖 넓기로 소문날 정도였던 내게 이런 순간이 왔다. 그동안 최선을 다하다 보니 서운함이 쌓였나 보다.

모든 관계로부터 이제는 편해지고 싶다는 단순한 마음에서 출발했다. 내 안을 들여다보니 내가 생각하는 만큼이 아니어서 상처받은 기억이 떠올랐다. 어쩌면 누군가는 내게 상처받았겠지. 그 안에는 가족도 있었다. 어쩌면 가족이어서 기대가 컸고 그래서 더 아팠을지도 모른다.

'관계'라는 말이 이렇게 복잡했던가. 그럼, 인연이라고 해보는 것은 어떨까. 그건 너무 거창해서 멀미가 날 정도로 어지러워진다. 아직 버리지 못한 인연이라고 쓰고 미련이라고 읽어본다. 이제는 생각 속에만 갇혀 있지 말자. 나를 둘러싼 그 관계 속 무엇이 나를 이토록 헤매게 하고 있는가.

한 번 더 날 낳아주고 떠난, 아빠

"세상에! 서울에서 백화점이 무너졌다!"

아빠를 모신 관을 알록달록 아름다운 꽃상여에 태우고, "이제 가면 언제 오나"를 불러주는 사람들과 함께 선산에 묻고 할머니 댁에 들어선 순간이었다.

사방을 뙤약볕으로 채워버린 찌는듯한 더위 속, 마당 여기저기서 사람들이 웅성거리기 시작했다.

1995년 6월 29일 전라북도 장수군 산서면의 상갓집.

자신의 어머니를 그리워하면서 일주일에 한 번 이상 안부 편지를 보내던 곳, 시집와서 평생 그곳을 지키며 살던 그 어머니 곁이었다. 죽음을 맞이한 아들은 그립고 그리운 나의 아빠다.

1남 5녀 중 막내로 태어난 나는 아들 하나를 더 낳겠다는 의지로 낳은 여느 딸과 달리 많은 관심과 귀여움을 독차지했다. 아빠를 쏙 빼닮은 외모도 한몫했을까.

아빠에게 나는 스무 살이 넘도록 손수 라면을 끓여 줘야 만족하는 작은 기쁨이었고, 형제들 몰래 불러내 자장면을 사주는 게 즐거움인 딸이었다. 단 한 번도 혼을 내거나 소리를 지른 적도 없다. 때때로 언니들이 아빠에게 부탁할 일이 있거나 혼날 일이 있어서 불안할 때 돌파하는 도구로 나를 활용했던 이유다.

하지만 예의 없을까 염려가 되었는지, 대학 입학 선물로 <논어>를 선물한 아빠. 지금도 책장에 자리 잡은 연두색 표지의 <논어>, 밀양 박씨 규정공파 종손다웠다.

끼가 많아 연극을 하고 싶었다는 아빠는 종갓집 큰아들이라는 의무감으로 꿈을 포기해야만 했다. 공무원이라는 직업이 아빠의 삶을 무기력하게 만들었을지도 모르겠다.

하지만 그것도 잠시 내가 태어나던 해에 그 인생의 최대 변화가 일어났다. 좀 더 잘살아보고 아이들 교육도 해보겠다며, 논도 팔고 밭도 팔아 서울살이를 시작했다. 논과 밭이 아닌 아스팔트 냄새 가득한 새로운 삶의 터전이 낯설어 힘들었다. 그런 삶이 25년 동안이나 지속될지 몰랐을 것이다. 사는 내내 고향에 홀로 계신 어머니를 그리워한 마음에는 적응하지 못하고 방황하는 자기 삶에 대한 원망도 있었을 것이다.

돌아가시기 3일 전에 서울살이의 모든 것을 정리하고 고향에서의 노후를 꿈꾸며 내려갔다. 속으로 외쳤을지도 모르겠다.

"나는 이제 자유다!"

그렇게 고향으로 내려간 다음 날, 이삿짐을 채 다 풀기도 전이다. 평소 술을 좋아하고 많이 의지했던 아빠는 지병인 당뇨와 겹치면서 일종의 쇼크가 왔다.

서울에 남은 우리에게 새벽에 울린 전화벨 소리, 아빠의 죽음을 알리는 엄마의 감당하기 힘들 정도의 울부짖는 소리는 30여 년이 지난 지금도 시리도록 생생하다.

그날부터 삼풍백화점 2층 ENC 매장에서 아르바이트생으로 일하기로 한 나는 새벽에 느닷없는 허망한 소식에 넋을 놓았다. 당연히 그 무너질 백화점에 출근하지 않았고 아빠의 고향으로 서둘러 내려갔다.

그랬다. 1995년 6월 29일 목요일 오후 5시 52분경 삼풍백화점이 붕괴했다. TV는 물론 라디오, 신문까지 모두 바빠졌다. 사람들의 시선은 온통 그곳으로 쏠렸고 믿을 수 없는 참담한 상황에 어이없어했다.

"막내 처제가 출근하기로 했던 그 백화점 아니야?"

한국전쟁 이후 가장 큰 인적 피해를 보았다는 그곳, 내가 아르바이트를 하기로 한 삼풍백화점 2층은 가장 많은 사상자가 나온 최악의 장소였다. TV에서 발표되는 사망자 명단이 모두 내가 아는 사람들인 것만 같았다.

"아이고야. 아버지가 딸을 살렸구마이. 니는 잘 살아야긋다."

어느새 내 얘기가 퍼졌는지 동네 어르신들이 한마디씩 하는 게 너무 또렷하게 들려서 참 서글펐다.

그해 6월 29일, 음력으로는 6월 2일. 그날은 정말 내게는 운수좋은 날이었을까. 스물네 번째 내 생일이었다.

"막내가 삼풍백화점에서 죽었으면 니 아빠도 따라 죽었겠지. 그렇게 이뻐하더니 너 살리려고 그랬나 보다. 차라리 너라도 살려서 다행이다."

황망하게 남편을 잃은 엄마는 몇 날 며칠을 그렇게 울었다. 내안에 자리 잡은 묵직한 울림과 그리움, 그때부터 나는 무조건 열심히 살아야 했다. 죽을 뻔한 인생이어서, 그리고 아빠 몫까지.

비교적 일찍 결혼 한 언니들은 각자 가정으로 돌아가 일상을 회복했다. 나는 아빠에게 받은 그 많은 사랑을 홀로 남은 엄마에게 갚고 싶은 알지 못할 책임감을 느꼈다. 엄마에게 삶의 기쁨을 주고 싶어서 뭐든 툭툭 털어내고 씩씩하게 살았다. 그리고 엄마에게 가장 아픈 손가락인 오빠를 지키느라 나는 더 이상 막내가 아니었다.

돌아보면 사연 없고 서글프지 않은 인생이 어디 있으랴. 가끔 저며오는 그 사연 있는 슬픔이 내게는 너무 깊다.

'그때 내가 백화점에 출근했으면 나는 어떻게 되었을까?'
'아빠는 정말 날 살리려고 돌아가셨을까?'
'지금 나는 잘살고 있는 걸까?'

그런 두려움과 미안함 그리고 책임감과 함께, 지금도 미디어에서 사고 소식이 들리면 심한 공포가 밀려온다. 내게는 그 모든 것이 현재 진행형이기 때문이다.

마흔 중반에 내뱉은 고아라는 슬픈 말, 엄마

2018년 그해 여름도 아빠가 떠난 1995년만큼 무더웠다. 그 살인적인 더위로 전력 수급이 달릴 정도였고 급기야 아파트 전체가 정전되었다. 집에 있을 수 없어서 나와 양재천을 걷고 있었다.

"지금 어디? 어머니께서 좀 아프신 것 같은데, 함께 가봐야 할 것 같아. 나 지금 집으로 가고 있어."

좀처럼 근무 시간에는 전화하는 법이 없는 남편에게 전화가 왔다.

"어디가 얼마나 아프신데요? 또 넘어지신 거 아니에요?"

평소 잘 다치시는 엄마라 퉁명스럽게 받으면서도 남편까지 소환된 게 조금 신경 쓰였다. 엄마를 못 만난 지 두 달째였다. 아니 고백하자면 작정 하고 만나지 않은 게 맞다. 나도 자식을 키우고 있지만 엄마의 아들에 대한 무모한 사랑을 좀처럼 이해할 수 없었다. 그 무한한 집착은 쉰 살이 넘은 아들을 스스로 서게 하지 못했다. 두 달 전에도 오빠 일로 심하게 다투었다. 그리고 나는 다짐했다.

'이제 진짜 신경 쓰지 말아야지. 정말 지겹다.'

결혼 전에도 결혼 후에도 내가 엄마에게 화를 내고 다투게 되는 이유는 모두 오빠 때문이었다. 어느 집에나 속을 썩이는 자식 한 명씩은 있다는데 우리 집에는 오빠였다. 이런 생각 저런 생각을 하면서 집으로 향했다. 먼저 도착한 남편은 이것저것 챙기고 있었고 내게 며칠 있어야 하니 필요한 물건들을 꺼내라고 했다.

"아니 심각한 거예요? 며칠 병원에 있어야 할 정도로?"

숨 막힐 정도의 정적이 흘렀다. 남편은 내게 물 한 컵을 건네며 크게 숨 한 번 쉬라 했다.

"어머니가 돌아가셨어."

"뭐라고요? 뭐? 왜? 지금 무슨 말을 하는 거예요? 미쳤나 봐. 뭐야. 왜!"

무슨 이런 일이. 할 말이 없었다. 어떤 말도 생각도 떠오르지 않았다.

엄마와 함께 있었던 오빠의 말을 정리해 보면, 아무렇지 않게 저녁 식사를 끝내고 물 한 모금에 심한 기침을 했고, 숨을 쉴 수 없어서 119를 불렀고 이동 중에 돌아가셨다. 이런 갑작스러운 죽음이라니.

제발 치매 없이 깔끔하게 눈 감고 싶다던 엄마는 원하는 바를 이뤘는지 모르지만, 남은 우리에게 아니 나에게는 또다시 겪은 충격적인 부모의 죽음이었다. 내 삶은 또 출렁거렸다. 다시 일상을 마주한다는 것이 축복이란 걸 깨달을 때까지.

엄마의 인생은 참 치열했고 서글펐으며 같은 여자로서 가여웠다. 부잣집 막내딸이었던 엄마는 명문가라는 배경과 아빠의 사진 한 장으로 밀양 박씨 종갓집 큰아들과 선이란 걸 봤고 결혼했다. 지금은 상상조차 할 수 없는 일이지만 엄마 아빠는 결혼 당일이 첫 만남이었다. 어쩌면 그 시절에 엄마도 천방지축이었을 텐데.

무서운 시아버지와 시할머니와 시어머니까지 층층시하에서 버티는 게 쉽지 않았을 것이다. 엄마는 아빠를 설득하여 자식들 교육을 위해서 서울로 가야 한다는 이유를 만들었다. 그렇게 타당한 이유를 만들어 서울로 이사했고, 시집에서 벗어났다.

지금의 상도동 언저리에서 시작했다고 들었다. 고향에서 떵떵거리면서 살던 삶이 아닌 낯선 그곳에서 아빠는 직장을 석 달 이상 버티지 못했다. 엄마가 본격적으로 생활 전선에 뛰어든 이유다. 더 이상 부잣집 딸도, 명문가의 며느리도 아니고 1남 5녀를 먹여 살려야 하는 엄마였다.

엄마는 유치원 주방 도우미, 식당 서빙, 떡볶이집, 보험설계사까지 안 해 본 것이 없을 정도로, 밥벌이가 될 수 있다면 모든 일을 마다하지 않았다.

그렇게 열심히 살았던 엄마에게 가장 아프고 미안한 일이 있다. 초등학교 4학년 때쯤인가? 학교를 마치고 친구들과 어울려 집으로 가는 길에 엄마를 보았다. 당시 화장품 방문 판매를 했던 엄마는 빛바랜 듯한 분홍색 유니폼을 입고 화장품 캐리어를 끌고 내쪽으로 걸어오고 있었다. 순간 나는 가까운 골목으로 숨어 버렸다. 엄마와 나는 누구도 그 이야기를 꺼낸 적이 없다.

어른이 되었을 때, 영화에서 비슷한 장면이 나오자 펑펑 울었다. 영화가 끝난 후에 삼겹살 한 근과 소주 한 병을 사 들고 집에 들어가 엄마에게 그 옛날이야기를 꺼냈다. 엄마도 알고 있었다. 한참을 엄마 무릎에 처박혀 실컷 울었다.

자식 교육이라는 엄마의 목표에 가장 크게 자리 잡은 사람은 아들, 역시 오빠였다. 기대가 컸던 탓에 내게는 가장 자애로운 아빠가 오빠에게는 엄격하기만 한 무서운 존재였다. 이런 관계를 회복하려고 엄마는 무조건 오빠 편을 들었고, 원하는 것은 무엇이든 들어주면서 달랬다. 그렇게 길든 오빠는 엄마가 돌아가실 때까지 홀로서기에 실패했다.

여전히 엄마에게 기대어 돈을 받아 생활하는 오빠를 나는 더 이상 이해하기 싫었다. 그리고 변하지 않는 엄마에게 지치고 화가 났다. 엄마가 돌아가시기 전 두 달 동안, 엄마를 만나지 않고 있었던 이유다.

나는 그럴 자격이 있다고 생각했고 그들의 관계에서 벗어나고 싶었다. 그동안 오빠가 치는 사고를 처리해야 하는 사람은 나였으니까. 결혼 전에는 급기야 오빠를 정신병원에 입원시키는 과정을 온전히 혼자 치르기도 했다. 엄마는 부모로서 차마 할 수 없는 일이었을 테니까.

돌아가시기 두 달 전에 엄마는 다리를 좀 다치셔서 병원에 입원해 있었다. 그런 엄마를 찾아와 돈을 요구하는 오빠, 내게 돈을 찾아오라는 엄마, 그것이 엄마의 마지막 모습일 줄은 정말 몰랐다.

아빠가 떠날 때처럼 그 살인적인 더위를 견디고, 여름 끝에 자식들이 준비할 틈도 없이 그렇게 갑작스럽게 떠나셨다. 끝까지 좋은 꼴을 못 보인 아들 곁에서.

'엄마는 이제는 내가 편해지라고 돌아가신 걸까?'

전에는 '고아'란 말이 그렇게 슬픈 말인지 몰랐다. 엄마가 그리울 때면 '나는 이제 고아다'라고 중얼거리는 버릇이 생겼다. 마치 더 많이 미안한 마음과 더 크게 울고 싶은 이유를 애써 만들고 싶어 하는 사람처럼.

그러던 어느 날 문득 '어쩌면 엄마는 처음부터 고아였을지도 모른다'라는 생각에 서글펐다. 누구에게도 기댈 수 없고, 누구도 돌봐주지 않아 혼자였던 인생이었으니까.

모든 걸 겪고 꽃다운 나이에 떠난 나의 보호자, 언니

"막내야! 사랑하는 우리 막내, 세상에서 가장 이쁜 내 동생. 언니랑 한잔할래?"

"이미 취하신 거 같은데? 언니! 근데 나 진짜 바쁘거든? 내일 쉬니까 내일 만나자."

늘 마감에 허덕이던 잡지사 기자 시절, 최종 편집본으로 교정을 보던 날이었다. 두 시간 정도가 흘렀을까? 언니에게 또 전화가 왔다.

"여보세요? 이 핸드폰이랑 어떤 관계죠? 지금 응급실로 실려 오셨습니다. 교통사고예요."

"네? 뭐라고요? 언니예요. 얼마나 다쳤나요? 어느 병원이죠?"

다급한 통화 내용과 떨리는 내 목소리에 편집부 식구들은 그저 어서 가보라는 눈빛만 보내고 있었다.

응급실에 도착했을 때 담당의로부터 언니의 상태에 대한 설명을 들은 것도 같은데 전혀 기억나지 않는다. 당장 수술이 필요하다는 말에 보호자 사인을 했고, 얼굴도 제대로 못 본 언니는 수술실에 들어갔다. 한참을 멍하니 수술실 앞에서 기다리다 정신을 차리고 엄마에게 연락했다. 갑자기 눈물이 쏟아져 제대로 말도 못 했는데, 엄마는 대충 알아들었는지 내 옆에 와 계셨다. 어느새 아침이 된 걸 보니 수술은 5시간 이상 지속되었다는 것을 깨달았다.

언니는 간 손상, 폐 파열 등을 당했고, 수술했지만 의식이 돌아오지 않아 중환자실로 옮겨졌다. 아주 간간이 의식이 돌아오긴 했지만 끝내 일반 병실로 가진 못했다.

하루 두 번 있는 면회를 할 때마다 언니가 듣는지 못 듣는지 알 수 없었지만, 일방적으로 나의 말을 전했다.

"배 안 고프니? 안 지겨워? 이제 좀 일어나지?"
"진짜 너무 힘들어서 기자질 못 해 먹겠어! 그래도 버티라고?

하고 싶었던 일이니까?"

"엄마가 오늘은 안 보고 싶대. 당분간 오시지 말라고 했어. 이해하지?"

"내가 언니 평생 데리고 살 테니까, 제발 일어나기만 해라."

무슨 말을 할 때였는지는 모르지만 두 번쯤 내 손을 꽉 잡아줬던 것도 같다. 중환자실에서 두 달이 가까워졌을 때, 담당의는 더 이상 할 수 있는 치료가 없다고 했다. 표정이 왜 그리 무책임해 보이든지 그저 원망하는 눈빛으로 쳐다보았다. 나는 얼굴부터 발끝까지 피부색이 까맣게 변했고, 지탱할 수 없을 정도로 야윈 언니의 몸을 보면서 담당의의 말을 조금씩 받아들였다.

"언니야! 그만 버티자. 너무 힘들지? 인제 그만 편해져라."

말도 안 되는 이 야속한 말을 해버린 새벽, 두 시간 후에 언니는 견디고 버티기를 반복하다가 서른셋이란 젊은 나이에 떠났다.

언니는 1남 5녀 중 4녀, 바로 위에 언니다. 어렸을 때는 심장이 약해서 의사였던 이모부 댁에서 치료받으며 살았다. 치료비를 감당할 수도 없고 자식도 많아서 이모에게 맡겨진 게 아닌가 하는 생각도 든다.

언니가 중학생이 되면서 함께 살았다. 언니는 자기 몸이 더 약한데도 하나밖에 없는 동생이라며 나를 과잉보호했다. 지금 생각해 보면 두 살 차이밖에 나지 않는데도 그랬다. 아마도 어렸을 때 가족과 함께 보내지 못해 혼자였던 외로움이 가족에 대한 애착을 불러왔고 가장 아끼고 사랑하는 대상이 내가 아니었나 싶다.

학교에서 속상한 일이 생긴 것 같으면 끝까지 그 이유를 알아 냈고 그 대상이 친구라도 되면 쫓아가 혼내주기도 했다. 그리고 늘 "넌 최고야! 넌 잘할 수 있어!"라고 말해줬다.

재수 끝에 대학에 붙었을 때는 마치 전국 수석이라도 한 듯 기뻐했고 자랑스러워했다. 그도 그럴 것이 언니는 대학을 못 갔다. 아니 안 갔다. 성적이 되지 않는다는 핑계를 들어 오히려 돈을 빨리 벌고 싶다고 했다. 그 과정에서 가출을 하기도 했지만, 그 기간에도 나를 만나러 왔다. 내게 용돈 주는 것을 당연하게 여겼고, 드디어 내가 기자가 되어 첫 월급을 타서 지갑을 선물했을 때도 "니가 돈이 어디 있냐?"라며 "다신 이런 선물 사지 마"라며 혼냈다.

언니는 아빠가 돌아가신 후 석 달 정도 짧은 연애를 하고 서둘러 결혼했다. 첫사랑과 헤어지자 아빠도 돌아가시고 밀려오는 상실감으로, 누군가에게 의지하고 싶었다고 고백했다. 그러나 언니의 바람과는 달리 결혼 생활은 그다지 행복해 보이지 않았다. 친정에 와서 자는 날이 많았고 가끔 속이 텅 빈 표정을 지었다. 형부와 성격은 물론이고 모든 게 안 맞는다며 외롭다고 했다.

"막내야! 나 이혼하려고. 아직 엄마나 언니들한테는 말하지 말아. 일단 서울에 올라가면 집부터 나올 거야."

언니가 추석 전이라 잡초가 꽤 무성했던 아빠의 묘 주변을 서

투른 호미질로 다듬은 다음, 소주 한 잔을 건네며 말했다. 갑자기 여름휴가를 할머니 댁으로 가자고 했을 때, 엄습했던 나의 불안감은 틀리지 않았다.

서울로 올라온 후 언니는 정말로 형부와 사는 집에서 나왔다. 논현동 2층 빌라에 얻은 언니 집은 언니와 나의 비밀공간 같은 곳이었다. 엄마에게는 잡지사 마감이라는 핑계를 대고 언니 집에서 밤새 술을 마시기도 했고, 퇴근하는 길에 들러 언니가 좋아하는 삼각형 커피 우유를 냉장고에 채워놓고 오기도 했다.

되돌아보면 이혼한 뒤 혼자 보낸 시간은 겨우 4개월 정도였다. 그 시간은 힘든 시기였지만 언니는 도리어 편안해 보였다. 사고가 나던 그날, 형부가 아닌 엄마에게 먼저 연락한 이유다.

언니 장례식에 상주는 나였다. 견디기 힘들었던 3일이었다.

'저렇게 환하게 웃고 있는데, 내 보호자가 죽었다니.'

중환자실에 두 달이나 있었기 때문에 마음의 준비를 하고 있었다고 생각했는데 맞닥뜨린 현실은 훨씬 잔인했다. 그렇게 떠난 지 20여 년, 봄이 오는 소리가 들리면 어김없이 언니를 만나러 간다. 그때는 꽃들이 이토록 아름다웠는지도 날씨가 그렇게 찬란한지도 몰랐다.

"언니야! 이제 내가 언니 너보다 나이가 많다. 이제 내가 언니 하려고."

잠을 자는 순간에도 내 인생의 축복, 아이

"잠을 자면서도 네가 내 인생의 축복이었단다. 쫄지 마!"

코로나 속에서 중학생을 보내고, 고등학생이 된 아이가 기숙사에 들어가는 날 내가 아이에게 쓴 편지의 마지막 말이다. 자기 일에 대한 선택권을 아이에게 주고 믿고 지켜보는 편이었지만, 기숙형 고등학교를 가고 싶다고 했을 때는 고민을 안 할 수 없었다. 늦은 나이에 결혼 한 남편과 나에게는 좀 더 애틋한 하나밖에 없는 아이였기 때문이다.

아이는 원하는 학교에 대해 이것저것 알아보며 차근차근 준비했고 합격했다. 며칠 지인들의 축하와 격려에 취해 기뻤지만, 떨어져 지낼 생각에 가슴 한편에 서운함이 자리 잡았다. 다행스럽게 입학하기 전에 적응을 돕는 4박 5일 간의 예비학교 프로그램이 있었다. 아이는 친구들에 비해 의젓하고 침착한 편이었지만, 태어나 처음으로 떨어져 지내는 거라 모두 긴장된 상태였다.

"엄마! 열이 좀 있는데요. 선생님께서 코로나 검사를 해보는 게 좋겠대요."

비교적 잘 보내고 있어서 안심하고 있었는데 예비학교 마지막 날 새벽에 아이로부터 연락이 왔다. 당황하고 허둥대는 나를 대신해 남편이 아이를 데리러 학교로 갔고 지정 병원에서 검사했다. 조금은 지치고 겁에 질린 표정으로 아이가 집에 들어서는 순간, 나는 본능적으로 아이를 꽉 안아 버렸다.

'이건 내가 함께 걸려야 하는 거지.'

그때는 코로나가 모두에게 굉장한 공포였고 걸리는 사람도 매우 드물었던 때다. 마치 무슨 큰 병이라도 얻은 듯이 대하는 나를 오히려 아이가 위로한 것도 같다. 다음 날 나도 코로나 검사를 했고, 역시 확진을 받았다. 우리는 그렇게 일주일 동안 '코로나 동지'가 되었다. 집 밖으로도 못 나가고 본의 아니게 세상과 단절된 그 시기에 아이와 나는 그동안 우리가 함께 한 시간에 대해 추억팔이를 했다.

나는 세상 모든 엄마가 그렇듯 아이에게는 정말 열심이었다. 뭔가 인생에 특별하고 거대한 프로젝트를 시작하는 것처럼 유난을 떨었다. 결혼하고 6개월 동안은 술과 스트레스에 찌들었을 몸을 좋은 것만 골라 먹고 운동을 해서 건강하게 만들었다. 계획대로 임신했고, 당시 입소문 난 모든 태교를 하면서 아이를 기다렸다. 아이는 신기할 정도로 나를 쏙 빼닮아 세상에 나왔다.

"나에게 와줘서 정말 고마워! 우리 잘살아보자!"

예민한 성격 탓에 조리원 생활을 못 했고, 자연스럽게 엄마가 산후조리를 맡아주셨다. 그런데 엄마는 나보다 더한 사람이었다. 종갓집 맏며느리의 산후조리법은 그대로 내게 적용되었고, 내 몸에 노출된 모든 부위는 꽁꽁 싸매고 생활했으며 삼칠일을 머리도

감지 못했다.

아이의 돌이 지나면서 출근했고 본격적인 육아 전쟁이 시작되었다. 워킹맘이면 모두 겪는 그런 것들이지만 순간순간 일과 육아 사이에서 고민은 피할 수 없었다. 나를 도와주려는 듯 밥도 잘 먹고 좀처럼 떼를 쓰는 일도 없으며 남자아이들 특유의 흔한 장난도 잘 안 쳤던 아이, 감사할 수밖에 없는 행복한 나날이었다.

그런데 아이가 다섯 살 때 상상조차 하기 싫은 끔찍한 일이 생겼다. 퇴근 후에 아이를 데리러 태권도장으로 갔는데 그곳에 있어야 할 아이가 없었다. 그날 취재가 늦어져 태권도 관장에게 수업 후에 도장에서 기다리게 해달라고 부탁했는데. 이 내용을 깜빡한 관장이 아이를 집 앞에 내려준 것이다. 집으로 올라가 보니 아무도 없어서 아이는 다시 내려왔고 관장이 내려준 곳에 서서 나를 기다렸다.

"엄마가 혹시라도 엄마를 잃어버리면 움직이지 말고 그 자리에 있으라고 했잖아요."

그때의 10분이 아이에게는 얼마나 길게 느껴졌을까. 아무리 기다려도 오지 않는 엄마, 큰 소리로 울기 시작했고 지나가는 아주머니가 어린이집 가방을 보고 어린이집으로 데려다줬다. 어린이집에 있을 것이라고는 생각도 못 하고 아이 이름을 불러대며 미친 듯이 돌아다녔다. 그 순간에 하늘이 무너지고 땅이 꺼지는 느낌을 받았다. 누군가를 잃는다는 게 얼마나 견딜 수 없는 고통인지 잘 알기 때문에 그런 일이 또 일어날까 봐 너무 두려웠다. 엎친 데 덮

친다고 하필 핸드폰을 취재처에 놓고 와서 어린이집 선생님의 연락을 받지 못했다. 지푸라기라도 잡고 싶은 심정으로 어린이집으로 갔다. 해맑게 엄마를 부르며 안기는 아이, 인정하기 싫지만 아마도 그때부터 아이에 대한 집착이 강해졌는지 모르겠다.

돌이 훨씬 지나 걷기 시작하고 말도 늦게 트인 아이였지만, 자라면서 또래보다 조금 더 똑똑했고 조금 더 키가 컸다. 자연스럽게 주변의 주목을 받고, 한때 세상을 다 가진 것처럼 우쭐대기도 했다. 하지만 나름 소신으로 갖고, 옆집 엄마의 교육 정보에 흔들리지 않았다.

다행스럽게도 아이와 나는 잘 맞는 편이었다. "신호등이 파란불일 때 건너야지?" "초록불이요!" 아이와 나의 대화를 듣고 엄마가 어쩌면 그렇게 매사 따지는 게 똑같이 닮았냐며 크게 웃으셨던 기억이 난다.

돌아보면 정작 누구를 위한 교육 방법이었는지 모르지만, 방학이 되면 학원에서 열리는 특강을 수강하는 대신 해외여행을 선택했다. 아이에게 더 넓은 세상을 보여주고 싶은 마음과 함께 보고 듣고 느끼면서 가능한 많은 시간을 공유하고 싶었다.

우리가 만난 도시 곳곳에서 우리들만의 이야기가 생겼다. 서로 잊지 않기 위해 기록하기 시작한 것이 추억 일기로 남았다.

"어? 저기 거기 아니니?"

"엄마가 저 사람들 부러워하셨잖아요. 오전부터 저렇게 맥주를 당당하게 마신다고요."

TV에서 바르셀로나의 보께리아 시장 거리가 나오자, 우리는 함께 같은 기억을 떠올렸다. 초등학교 저학년 때는 싱가포르, 필리핀, 태국, 베트남 등 동남아를 중심으로, 고학년 때는 프랑스, 스위스, 이탈리아, 독일, 헝가리, 체코, 베네룩스 3국 등 유럽 20여 개국을 여행했다.

스르지산 정상에서 봤던 아름다운 아드리아해, 햇빛이 너무 강렬했지만 아이스크림 하나로 견딜 수 있었던 스프리트, 아이의 세례명인 블라시오 성인이 모셔진 두브로니크의 블라세 성당에서의 기도, 화장실 가는 용도로 들렀던 마리앙투아네트가 차를 마셨다는 낭시의 한 카페, 생각보다 너무 작았던 뷔르셀의 오줌싸개 동상, 본격적인 세계사 공부가 된 피렌체와 로마 그리고 베네치아, 눈치 보면서 슬금슬금 피했던 몽마르뜨언덕의 집시, 회색이었던 도시가 밤이 되자 황금물결로 흐르던 부다페스트, 그리고 내가 가장 좋아하는 프라하의 구시가 골목길.

여행비를 아끼느라 어떤 날은 캐리어가 들어가지도 않을 정도로 좁은 호텔에서 잠을 잤고 휴게소 편의점에서 샌드위치로 끼니를 해결하기도 했지만 함께라서 좋았다.

아이는 그렇게 방학을 보내고 새 학기가 시작되면 언제 그랬냐는 듯 성실하고 모범적인 학생이 되었다. 매 학년 회장을 도맡아 할 정도로 책임감도 강했다. 나는 외동아이가 가질 수 있는 이기심과 자만심을 걱정해서 칭찬에는 조금 인색한 편이었다. 전 과목 올백을 맞았을 때, 뛸 듯이 기뻤던 마음을 감추고 "어머니가 누구니?"라며 쑥스럽게 말했다.

내가 힘들고 지칠 때마다 나를 일으켜 세우고 살아야 할 이유를 만들어 준 아이, 아이를 생각할 때면 나도 모르게 '감사합니다'라고 혼잣말이 나올 때가 있다.

'내게 주어진 모든 복을, 아이를 통해 받는 건가?'

물론 아직도 아이가 가야 할 길이 멀고 자식 장담은 하지 않아야 한다는 말에 동의한다. 그러나 지금, 이 순간에도 앞으로도 내게는 가장 빛나고 자랑스러운 아이다.

어느덧 그 힘들다는 대한민국의 고3이 된 아이에게 나는 오늘도 편지를 쓴다.

고맙다!
덕분에 우리 지금까지 잘해왔고, 앞으로도 잘할 수 있어!
혹시 네가 가는 길에서 느닷없이 넘어지더라도 지금까지 그랬던 것처럼 엄마는 세상에서 가장 강력한 지원군이 될 거야.
내가 네게 줄 수 있는 가장 크고 오래갈 유산이거든.
우리 단단하게 오래 다정하게 가보자.

네가 만들어 갈 세상을 응원하고 지지하는 엄마로부터.

절대적 절실함, 종교

어린 시절 너무 가난했던 나는 교회를 열심히 다니는 아이였다. 뭔가 바라고 소망하는 것이 이뤄지지 않을 것 같은 현실을 외면하고 싶었기 때문이다. 그때 가장 부러웠던 것은 엄마 아빠와 아니 가족이 함께 교회를 다니는 아이들이었다. 목사님이 아는 척도 해주고 선생님들과도 친하고, 무엇보다 주일에 예배를 마치고 점심을 먹으러 교회 식당에 가면 자기 엄마가 주방에서 점심 봉사를 하는 그런 아이들.

'교회가 가난과 무슨 상관이지?'

엄마는 기독교인이라고는 했지만, 교회를 다니지는 않았다. 먹고살기 바빴던 엄마는 아마도 일요일 하루쯤은 일주일 동안 지친 몸을 쉬고 싶었겠지. 잘 차려입고 교회에 가서 예배를 드리고 우아하게 봉사하는 것, 어쩌면 십일조를 내야 하는 부담이 있었을 수도 있다.

크면서 바쁘다는 이유 등으로 교회를 다니지 않다 보니 믿음도 식어갔다. 하지만 언니가 중환자실에 있는 동안에는 기도가 절로 나왔다. 간절하게 바라는 일을 염원이라고 한다면 그 간절함으로 나를 내어 드리는 일을 기도라고 들은 적이 있다.

천주교 신자였던 둘째 언니의 권유로 넷째 언니는 중환자실에서 신부님에게 세례를 받았다. 위급한 경우나 죽을 위험을 앞두고 받는다고 해서 이를 '대세'라고 한다. 자연스럽게 언니의 장례도 천주교식으로 치러졌다. 장례식에 참석한 천주교인들이 위령기도를 하는 가운데 내 마음이 요동쳤다. 나의 간절함이 그들의 기도에 더해지면 언니가 더 이상의 고통 없이 편히 잠들 것 같았다.

그렇게 천주교에 관심을 가졌는데 얼마 후 30년 넘게 독실한 천주교 집안의 남편을 만났다. 나는 미련 없이 개종했고, 임신하면서 가장 좋은 태교라 생각하고 교리를 받고 세례를 받았다. 아이도 태어나 유아세례를 받았다. 세례를 받던 날 성당의 모든 스테인드글라스 창문을 통해 들어오는 색색의 빛이 아이만을 비추는 것 같아 황홀했다. 아직은 어린 나이인 초등학교 3학년 때 첫영성체를 받은 아이가 복사를 하겠다고 했다. 생각지도 못한 일이었는데 아이는 하루도 빠짐없이 꼬박 6주를 새벽 미사에 참석하는 과정을 거쳐 신부님을 돕는 복사가 되었다.

'봉사하게 하시니 감사하나이다.'

그동안의 죄는 모두 내가 지었는데 오히려 아이가 봉사하고 있다는 마음에, 복사 자모로서 나는 매사 조심스럽게 행동했고 봉사했으며 소소한 일상에 감사했다. 그 4년이 내게는 반성과 치유의 시간이었다.

어느 날 미사 중에 갑자기 눈물이 흘렀다. 미사가 끝나고 집으로 오는 길, 눈치챘는지 슬며시 손을 잡아주는 아이와 그런 모습을 뒤에서 보는 남편, 하늘에서는 아주 가볍게 눈발이 날렸다.

'아! 행복이 별건가?'

그날의 나는 내가 부러워했던 어린 시절 그 가족의 모습이었다.

다시 밤

코로나가 종식되고 일상을 회복하면서 사람들이 다시 만나기 시작했다. 주로 나눈 대화는 어떻게 지냈는지에 대한 안부와 코로나 극복기였지만, 공통으로 나눈 얘기가 있었다. 모임과 시간이 제한되다 보니 꼭 필요한 일이 있거나 목적이 분명한 사람, 정말 보고 싶은 사람을 만나게 되더라는 것이다. 그렇게 지내다 보니 인간관계가 어느 정도 정리가 되었다고 했다.

나는 워낙 사람을 좋아한 편이라 동창이나 동료 학부모는 물론 각종 커뮤니티가 많았고 그 안에서 이뤄진 관계도 다양했다. 좀 더 많은 사람을 만나서 관계를 형성하고 나의 영역이 확대되는 것에 일종의 성취감도 느꼈다.

나 역시 코로나 기간에 혼자 있는 시간이 많았다. 새벽 미사를 드리고 산책하고 독서를 통해 책 속에서 내 마음을 대변해 준 글에 밑줄도 그어봤다. 산과 바다 그리고 자연을 만나러 여행도 떠났다. 혼자 한 달 제주살이도 해봤다.

나와 사귀는 시간 속에서 더 이상 '애쓰지 말자'라는 결론이 나자, 순간 안정감도 생겼다. 내게 중요하지 않은 사람의 마음을 더 이해하려고 노력하고 그다지 의미 없는 관계를 더 신경 썼던 마음을 내려놓았다. 나의 인간관계도 선택과 집중이 생긴 것이다. 가족이어서 이해하고 묻어두었던 감정도 살아났다. 그러다 보니 그런 고민을 할 틈도 안 주고 먼저 떠난 가족에 대한 미안함이 나를 괴롭혔다. 지독하리만큼 외로웠고 너무 아파서 눈물이 흐르기도 했다.

나의 삶은 아직 갈 길이 멀어 정답을 찾지 못해 헤매는 게 어쩌면 당연한 건지도 모르겠다. 그러나 이제는 내가 안고 있던 상처로부터 자유로워지고 싶다. 그 방법이 누구에게는 그냥 삶 자체이고 누구에게는 가족, 누구에게는 예술, 누구에게는 종교가 될 것이다. 그러나 우리는 누군가와 함께 삶을 버티고 견뎌야 한다. 내가 지나온 삶이 너무도 아파서 그것을 나누고 싶은 용기조차 없었지만, 이제는 조금 성숙한 마음으로 누군가의 상처도 보듬어 보고 싶다.

'잘 가라! 나를 단단하게 만들어 준 상처들이여!'

07

오늘을 살아가게 하는 한 그릇

이지원

에세이

이
지
원

사색과 터무니없는 망상을 좋아한다. 때때로 그 속에서 유영하며 살고 있다.
열심히 보다는 성실히, 게을러도 꾸준하게 글을 쓰고자 노력 중이다.
오랜 시간이 지나 다시 읽어보아도 얼굴이 화끈거리지 않는 글을 쓰고 싶다.

오늘을 살아가게 하는 한 그릇

버스를 타고 창고형 마트로 가는 길이었다. 한 정거장에서 엄마와 유치원생으로 보이는 남자아이가 손을 잡고 버스에 올랐다. 아이의 손에는 본인 손보다 커다란 엄마의 신용카드를 쥐고 있었다. 아이는 폴짝 뛰듯이 걸으며 요금 단말기에 다가가 까치발을 들어 카드를 태그했다. 그리곤 자기도 어른처럼 행동할 수 있다는 것이 만족스러웠는지 환하게 웃으며 엄마를 바라봤다. 버스 유리창을 통해 아이의 등 뒤로 쏟아지는 햇빛 때문인지 아이 모습은 더없이 해맑고 사랑스러웠다.

유심히 둘의 모습을 관찰하던 나는 아이를 보고 자연스레 입가에 미소가 피었다. 어린아이일 때는 무엇이든지 어른 흉내를 내고 싶어 한다. 흉내를 낸다고 빨리 어른이 될 수도 없는데 어떻게든 따라서 하겠다고 생떼를 부리기도 한다. 보는 사람은 어설프게 보일지 몰라도 아이는 분명 자신이 따라서 하는 행동이 어른과 똑같다고 생각할 것이다. 더구나 주위에서 잘한다고 비행기를 태우면 아이는 더욱 의기양양해진다.

어린 시절 나의 어른 흉내는 요리였다. 맞벌이로 부모님은 항상 바쁘셨기에 초등학교에 입학한 이후로 나는 스스로 해야만 하는 것들이 늘었다. 그중 하나가 요리였다. 다행히도 나는 요리에 흥미가 있었다. 엄마의 설명을 듣고 음식을 만들고 있으면 마치 TV 어린이 프로그램에 나오는 꼬마 요리사라도 된 기분이었다. 엄마도 곧잘 음식을 만드는 내게 점점 더 난도 높은 음식을 가르쳐 주었고 그로부터 1년 뒤, 초등학교 2학년 때는 떡볶이도 거뜬히 만들 줄 아는 진정한 꼬마 요리사가 되었다.

우리 삶에 있어 음식은 결코 뗄 수 없는 존재이다. '밥 먹었어?'라며 안부를 묻고, '밥 한번 먹자'라고 다음을 기약한다. 그래서일까 음식은 생각보다 다양한 힘을 가지고 있다. 기본적으로 신체에 영양을 보충해 주는 힘부터 함께 나누었던 사람과의 추억을 떠오르게 하는 힘, 한 입 먹으면 우울했던 기분을 단숨에 날려버리는 마법 같은 힘까지. 이처럼 음식이 우리에게 주는 힘은 실로 다양하고 또 강력하다.

앞으로 펼쳐지는 이야기는 그동안 내가 겪은 다채로웠던 음식의 세계 일부분이다. 그 세계로 지금 여러분을 초대한다.

1. 장땡! 간장 달걀밥.

'탁탁'

엄마가 쥐고 있던 딱딱하고 뭉툭한 파리채 손잡이가 차가운 바닥과 부딪히며 소리를 냈다. 나는 울상이 돼서 입을 댓 발 내밀고는 마지못해 숟가락을 들었다. 숟가락을 들고도 입가로 가져가지 않고 허공에서 또 시간을 끌고 있으니, 엄마가 다시 한 번 파리채를 바닥에 내리쳐 소리를 냈다.

나는 밥을 잘 먹지 않는 어린이였다. 그 또래 아이들이 그러하듯 나도 밥보다는 과자나 초콜릿 같은 군것질거리를 더 좋아했다. 밥 먹으라는 말보다 숙제하라는 엄마 잔소리가 차라리 나았다.

엄마는 어떻게든 내게 밥을 먹이려고 항상 고군분투했다. 예쁜 도시락에 밥을 담아 주면 내가 관심을 가질까 싶어 시장에서 당시 인기 있는 만화 캐릭터가 그려진 도시락통을 사 오기도 했고, 밥을 먹으면 평소 갖고 싶다고 졸라대던 로봇 장난감을 사주겠다며 살살 꾀어내기도 했다. 하지만 어떠한 방법에도 입을 열지 않던 나는 기어코 엄마가 파리채를 들고 밥상에 마주 앉게 했다. 밥을 먹는 둥 마는 둥 하는 나를 보더니 엄마는 별수 없다는 표정으로 주방으로 가서 간장과 참기름을 가져왔다. 내 밥그릇을 가져가 밥상에 놓여있던 달걀프라이와 가져온 간장과 참기름을 넣고 비벼서 내 앞에 도로 놓아주면 나는 그제야 밥을 먹기 시작했다. 간장의 짭조름한 맛과 참기름의 고소함이 더해져

밍밍한 밥이 맛있는 요리로 변신했다. 간장 달걀밥은 밥 안 먹는 아들을 위한 엄마의 만능 요리였다.

　스물여덟, 나는 아일랜드에 있었다. 뚜렷한 목표 없이 한 번쯤 한국을 떠나 다른 나라에서 살고 싶다는 생각만으로 지난해 이곳에 왔다. 그곳에서 나는 3명의 외국인과 2층 주택에서 함께 살았는데 각각 국적이 달랐다. 브라질, 이탈리아, 터키 그리고 대한민국. 직업도, 국적도 다른 네 명의 남자들이 동거하는 중이었다. 그 집에는 독특한 규칙이 있었다. 주택 뒤에 작은 마당이 있는데 그곳에서 2주마다 같이 저녁을 먹는 것이었다. 각자 생활에 바빠 일부러 약속을 잡지 않으면 같은 집에 살아도 얼굴 보기가 힘들기에 만들었다고 했다. 또 다 같이 모인 자리에서 애로 사항이나 건의 사항 등 서로 주거환경을 논하는 자리이기도 했다. 순번을 정해서 음식을 준비했는데 주로 자신의 나라에서 자주 먹는 음식을 선보였다.

　어느 토요일, 그날은 가장 뒤늦게 그 집에 입주한 내가 처음으로 요리하는 날이었다. 퇴근하고 집으로 돌아가는 길에 마트에 들러 재료를 사 올 생각이었다. 한국요리를 처음 선보이는 자리인 만큼 무얼 만들지 며칠을 고민했다. 고심 끝에 내가 생각한 요리는 찜닭과 주먹밥, 그리고 달걀찜이었다.

　오후 6시, 퇴근을 삼십 분 남겨두었을 때 점장이 나를 호출했다. 일을 조금만 더 해줄 수 없겠냐는 말이었다. 평소보다 손님이 많았기도 했지만, 결정적으로 다른 파트타이머 한 명에게 급한 일이 생겨 못 나오게 되었다고 말했다. 일자리를 구하는 일이 하늘의 별을 따는 것보다 힘든 아일랜드에서 그 제안을 단칼에 거절할 수 없었다. 거절한다고 당장 나를 자르는 것도 아닌데 왠지 그럴 것만 같아 나는 알겠다고 말하며 휴대전화를 들어 룸메이트들이 모여있는 단체 채팅방에 이 사실을 알렸다.

두 시간이 지났다. 나는 서둘러 매장을 나서며 시간을 확인했다. 이미 마트가 문 닫았을 시간이었지만 혹시나 하는 마음으로 마트를 향해 뛰어갔다. 마트 영업시간을 잘못 숙지하고 있을 수도 있다는 생각으로 열심히 달렸다. 하지만 실낱같던 내 희망과 달리 마트의 문은 굳게 닫혀있었다. 망연자실한 모습으로 집에 돌아와 거실로 들어서니 6개의 눈동자가 동시에 나를 쳐다봤다. 다들 한 손에는 캔맥주를 들고 있었다. 간단한 주전부리를 먹으며 나를 기다리고 있는듯했다. 그 모습을 보니 속상했다. 미리 상황을 전달했지만, 괜스레 미안한 마음에 고개를 들어 거실 천장을 잠깐 올려다봤다.

마음을 추스르고 주방으로 가서 냉장고를 열었다. 공용으로 사용하는 냉장고에서 내 공간은 맨 아래 칸이었다. 그곳에는 처량하게도 달걀 두 개만 덩그러니 놓여있었다. 쭈그리고 앉아 물끄러미 달걀을 잠깐 바라보고 있으니, 머릿속에서 엄마의 만능 요리 간장 달걀밥이 번뜩 떠올랐다. 지금 이 위기를 헤쳐 나갈 수 있도록 한국에서 엄마가 내게 텔레파시를 보내온 것만 같았다. 달걀을 모두 꺼내고 찬장을 열었다. 다행히 즉석밥과 김, 그리고 작은 컵라면 두 개가 있었다. 전자레인지에 즉석밥을 데우고 달걀을 부쳤다. 두 개로는 부족해서 룸메이트에게 네 개를 빌려 여섯 개 전부 달걀프라이로 만들었다. 커다란 스테인리스 그릇을 꺼내 밥과 달걀을 몽땅 때려 넣고 간장과 참기름을 대충 몇 바퀴 두른 뒤에 주걱으로 쓱쓱 비볐다. 고소한 참기름 냄새가 주방을 넘어 거실까지 퍼졌다. 냄새를 맡고 거실에서 대화 중이던 룸메이트들이 하나, 둘 식탁에 자리를 잡았다. 나는 미안한 마음도 함께 그릇에 옮겨 담아 간장 달걀밥을 나누어줬다. 뜨거운 물을 부은 컵라면도 식탁으로 옮겼다. 반찬은 김이 전부인 조촐한 밥상이 완성됐다. 원래 계획했던 근사한 한국인의 밥상은 아니었지만 어쩌면 이 밥상은 더 현실감 있고 익숙한 자취하는 20대 한국인 남자의 밥상일지도 몰랐다.

다행히도 룸메이트들의 반응은 나쁘지 않았다. 짭조름하고 고소한 맛에 반한 것인지 연신 맛있다며 엄지손가락을 치켜세웠다. 특히 참기름을 '매직 오일'이라며 요란스럽게 극찬했다. 룸메이트들의 호들갑에 긴장되고 조급했던 마음이 조금 느슨해졌다. 나도 모르게 밭은 숨을 내뱉은 뒤 김에 싸서 먹으면 더 맛있다고 말하며 시범을 보여주었다. 다들 나를 따라 김에 간장 달걀밥을 싸서 먹었다. 짠맛이 더 강해진 탓에 자연스레 모두의 손이 맥주로 향했다. 함께 캔맥주를 부딪치며 건배했다. 룸메이트 한 명이 한국말로 건배가 무엇인지 물어서 어떤 표현을 알려줄지 잠깐 고민하다 '짠!'이라고 답했다. 곧이어 다 같이 '짠!'을 외치며 다시 한 번 캔맥주를 부딪쳤다.

그날 이후로 같이 저녁을 먹는 날이 아닐 때도 룸메이트들은 종종 간장 달걀밥을 만들어 달라고 요청했다. 어느새 엄마의 만능 요리는 한국을 넘어 아일랜드에서 브라질, 이탈리아, 터키로 뻗어나갔다. 한국으로 돌아오기 전 나는 그들이 칭송한 '매직 오일' 참기름과 간장을 작별 인사로 한 병씩 선물하고 간장 달걀밥 조리법도 알려주었다. 아마 지금도 그들은 지구 어디에선가 커다란 스테인리스 그릇을 꺼내 간장 달걀밥을 비비고 있을지 모르겠다.

2. 할머니의 굴비.

도마 위에 놓인 굴비의 흐리멍덩한 눈동자가 나를 빤히 쳐다봤다. 굳은 결심을 하고 마트에서 굴비를 사 왔지만, 당최 어찌할 바를 몰라 가만히 나를 쏘아보는 굴비를 내려다보고 있었다. 분명 집으로 오는 길에 휴대전화로 조리법을 검색했는데 첫 단계인 굴비를 손질하는 것부터 제동이 걸렸다. 한참을 굴비와 눈싸움을 하다 이내 질끈 눈을 감고 생각했다. 나는 대체 이 굴비를 왜 사 왔을까?

아침에 보았던 일기예보에서 공기가 깨끗하다는 말에 동네 산책을 나왔다. 한동안 미세먼지가 기승이더니 오랜만에 맞는 맑은 파란 하늘이 반가웠다. 특별히 정해둔 목적지 없이 그저 발길이 닿는 대로 걸었다. 잘 다니지 않았던 동네의 후미진 골목이나 집에서 거리가 멀어

큰마음을 먹지 않으면 잘 가지 않던 개천이 있는 옆 동네까지 가보았다. 서울의 공기를 시골과 비교할 바는 아니지만 미세먼지 '좋음' 단계는 이제 좀처럼 쉽게 만날 수 있는 게 아니었기에 크게 숨을 들이마시며 걸었다. 개천의 흐르는 물비린내 사이로 옅은 마른 나뭇잎 냄새와 가볍게 젖은 땅의 흙냄새가 맡아졌다. 특별히 대단한 냄새도 아닌데 왠지 맡고 있으면 건강해지는 듯한 착각까지 일었다. 한참을 기분 좋게 걷고 있는 와중에 순간적으로 미간을 찌푸리게 하는 냄새를 맡았다. 생선 냄새였다. 정확히 말하면 생선이 가진 특유의 비린내가 진동했다. 생선을 극도로 싫어하는 나는 아주 조금의 비린 냄새도 기가 막히게 알아차렸다. 인상을 잔뜩 찡그리며 걷는데 비릿한 냄새가 묘하게 익숙했다. 어디선가 많이 맡아봤던 냄새. 불쾌하지만 친숙한, 향수를 불러일으키는 냄새가 재촉하던 발걸음을 더디게 했다.

그리 오랜 시간이 지나지 않아 냄새의 정체가 혼란스러운 머릿속에서 희미하게 떠올랐다. 그것은 할머니가 굽던 굴비 냄새였다.

굴비 하면 떠오르는 그곳, 전라남도 영광 법성포는 아빠의 고향이다. 내가 처음부터 생선을 싫어했던 건 아니었다. 4살 무렵 할머니 손에 자랐던 나는 끼니마다 굴비를 먹었다. 내가 밥 한술을 뜨면 할머니는 먹기 좋은 크기로 가시를 바른 굴비 살점을 얹어주셨다.

여느 때와 같이 그날도 할머니가 밥 위에 얹어준 굴비를 먹었을 때 무언가 목에 탁, 하고 걸렸다. 전기를 먹으면 이런 맛일까. 목 안이 전기가 통하는 것처럼 찌릿찌릿했다. 가시가 목에 걸렸다는 걸 금방 알아챈 할머니는 맨밥 한 숟갈을 크게 떠서 내게 먹였지만, 통증만 더해질 뿐이었다. 결국 할머니의 손을 잡고 읍내에 있는 의원으로 향했다. 진료실로 들어서자 의사 가운을 입은 나이가 지긋한 할아버지가 울고 있는 나와 할머니를 맞이했다. 할머니의 설명을 듣고 상황을 파악한 할아버지 의사는 커다란 쇠로 만든 집게처럼 생긴 물건을 들고 나에게 다가왔다. 그 모습은 마치 만화 영화에 나오는 주인공을 괴롭히는 악당과 같았다. 나는 너무 놀라 울음을 뚝 그쳤다. 저렇게 커다란 쇠 집게가 내 입을 지나 목 안으로 들어온다고 생각하니 덜컥 겁이 났다. 잡고 있던 할머니의 손을 뿌리치고 진료실 밖으로 달아나려 했지만, 수문장처럼 문을 지키고 있던 간호사 누나에게 붙잡히고 말았다. 결국 난 악당의 손에 넘겨졌고, 몸부림을 칠수록 더 아프다는 말에 숨죽여 눈물만 흘리며 가만히 있었다. 목 안에 박혀있던 가시가 빠져나간 건 찰나의 순간이었지만 나에게는 영겁의 시간과 같았다. 가시가 빠져나간 자리에 커다란 쇠 집게가 대신 들어가 있는 것처럼 목 안은 꽤 오랜 시간 욱신거렸다.

그날 이후 나는 할머니의 굴비를 거부했다. 굴비뿐만 아니라 날카롭고 가느다란 가시가 있는 모든 생선을 싫어하게 됐다. 생선이 싫어지니 냄새마저 역하게 느껴졌고, 그리하여 나는 할머니와 떨어지기 전까지 나는 늘 코를 막고 밥을 먹었다.

나이가 들면 입맛도 바뀐다는 말은 사실이었다. 그렇게 싫어하던 생선을 내가 일부러 챙겨 먹게 될 줄이야. 무엇보다 이제는 건강을 생각하지 않을 수 없었다. 왜 그렇게 어른들이 보양식을 제때 챙겨 먹는지, 몸에 좋다면 어떠한 음식도 먹을 수 있다는 그 마음가짐이 차츰 이해되었다. 나도 그들과 같아지고 있었다. 집으로 돌아오는 길에 마트에서 굴비를 샀다. 그날 이후 굴비를 먹었던 적이 있었나. 기억나지 않았다. 서른을 넘기고부터 조금씩 생선을 다시 먹기 시작했지만, 굴비를 먹은 기억은 없었다.

휴대전화로 조리법을 다시 잘 확인하고 굴비 손질을 시작했다. 냄새는 여전히 역했지만 손질하는 동안 할머니가 구워주셨던 굴비와 같은 맛이 나길 바랐다. 깨끗하게 손질한 굴비를 뜨겁게 달궈진 프라이팬에 넣었다. '치이이이' 소리와 함께 뿌연 연기와 비린내가 한꺼번에 피어올라 한순간에 온 집 안을 집어삼켰다. 비릿한 냄새는 잊고 있던 그리운 냄새로 점차 변했고, 이내 할머니와 살았던 법성포로 나를 데려다 놓았다. 일순간 먹고 싶다는 생각이 간절했다. 나도 모르게 입 안에 고인 침을 꿀꺽 삼키며 잘 구워진 굴비를 접시에 담았다. 어릴 적 할머니가 내게 해주셨던 것처럼, 나는 먹기 좋은 크기로 살을 발랐다. 더욱 꼼꼼하게 요리조리 살피며 가시를 제거했다. 이윽고 하얀 밥 위에 굴비 살점을 얹어 한 입 크게 넣고 씹었다. 그것은 그리운 할머니의 굴비였다.

3. 나의, 나에 의한, 나를 위한 밥상.

날씨를 핑계로 오랜만에 회사 밖에서 점심을 먹었다. 날이 길어지기 시작하는 춘분이 지났음에도 한동안 날씨가 갈피를 못 잡고 오락가락하더니 이제는 완연한 봄이었다. 매일 먹는 회사 구내식당이 지겨운 탓도 있었지만 따뜻하다 못해 포근함까지 느껴지는 봄날을 만끽하기 위해서였다. 그렇지 않으면 낮에는 좀처럼 회사 건물 밖으로 나올 일이 없었다. 주말이라고 예외는 아니었다. 특별한 약속이 있지 않는 한 주중에 누적된 피로로 인해 더더욱 집 밖으로 나가기가 싫었다. 그 때문에 찰나 같은 찬란한 봄의 낮을 즐길 수가 없었다.

밥을 먹고 회사로 돌아오는 길에 시간이 좀 남아 주변을 산책 삼아 걸었다. 회사 근처에는 대학교가 있었는데 그래서인지 아기자기한 소품 가게들이 즐비했다. 같이 점심을 먹은 동료가 요새 그릇을 모으는 취미가 생겼다며 구경을 가자고 했다. 내가 고개를 끄덕여 동의하자 그는 미리 SNS에서 봐둔 가게가 있는지 곧바로 앞장서서 걸었다. 왠지 모르게 앞서 걷는 그의 뒷모습에서 묘하게 들뜬 마음이 얼핏 느껴지는 것 같았다.

도착한 가게에는 제법 물건이 많았다. 공간이 다소 작은 곳이었음에도 진열을 잘해둔 탓인지 곳곳에 다양한 크기의 그릇과 접시들이 빼곡하게 들어차 있었다. 크기만 다양한 것이 아니라 종류도 다양했다. 무늬가 화려한 것, 크기가 아기자기하고 귀여운 것, 단아하면서도 깔끔한 것 등등 세상 모든 그릇과 접시를 모아둔 것만 같았다. 동료는 한참이나 구경했다. 생기 넘치는 그의 눈빛에서는 '이곳에 있는 모든 물건을 하나도 놓치지 않고 낱낱이 둘러보겠다'라는 의지까지 엿보였다. 괜히 옆에서 멋쩍게 서성이던 나는 대뜸 그에게 물었다. "근데 갑자기 그릇은 왜 모아?" 여전히 시선은 구경하고 있는 그릇에 둔 채 그는 꽤 비장한 목소리로 힘주어 대답했다. "내 자존감을 위해서."

그의 말에 따르면 이러했다. 한 달 전 즈음이었을까 평소와 다름없이 퇴근하고 유튜브를 보며 저녁을 먹고 있었다. 그가 시청하는 영상 속에는 한 여자 연예인이 혼자 밥을 먹는 모습이 나왔다. 그녀의 밥상은 누구나 흘깃 보더라도 상당히 정갈하다고 느껴질 만큼 깔끔했다. 마치 누군가를 위해 정성껏 차린 그런 모습이었다. 영상을 촬영하던 감독이 평소에도 이렇게 차려 먹냐고 물으니 그렇다고 대답한 그녀는 주변 친구들이 하나, 둘 결혼하고 난 뒤에 헛헛해진 마음을 달래려 자신의 밥상을 차려 먹기 시작했는데 이제는 습관이 되었다고 말했다.

혼자 산 지 20년을 훌쩍 넘긴 그녀는 언제부터인가 집에서 혼자 밥을 먹는 일이 너무나 싫어졌다고 했다. 처음에는 '혼자서 먹는 밥이라 그런가' 하고 생각했는데 그게 아니었다. 여럿이 먹는 것과 혼자서 먹는 것의 차이는 함께 밥을 먹는 사람 수가 아니라 정성을 들여 차린 밥상에 있었다. 손님을 초대할 때는 찬장에 고이 모셔둔 값비싸고 예쁜 그릇을 꺼냈고, 행여 깨질까 두려워 평소에는 잘 쓰지 않던 화려한 장식의 유리컵도 꺼내 놓았다. 반찬도 하나하나 접시에 깔끔하고 먹음직스럽게 담아냈다. 하지만 정작 그녀 혼자서 밥을 먹을 때면 음식을 조리한 냄비째로 먹거나 반찬도 덜어 먹지 않고 반찬통을 그대로 꺼내와 뚜껑만 열고서 먹었다. 그녀는 그때 알아차렸다. 그것이 그녀를 초라하게 만들고 있다는 것을. '나 자신을 아끼자, 나를 대접하자'라는 생각으로 그 뒤로는 혼자서 밥을 먹을 때도 정갈하게 오롯이 자신만을 위한 밥상을 차린다고 했다. 그녀의 말이 끝남과 동시에 동료는 고개를 떨궈 자신의 밥상을 내려다보았다. 화면 속 그녀가 말했던 바로 그 초라한 밥상이었다.

그녀의 영상을 본 뒤로 동료는 달라졌다고 고백했다. 마치 큰 깨달음을 얻은 것처럼 그는 처음 이사 왔을 때와 다를 것 없는 텅 빈 주방 찬장을 예쁜 그릇과 접시로 한 칸 두 칸 채워나가기 시작했다. 사용하던 식기도 그에 맞춰 새로 구매했다며 크게 관심도 없는 내게 사진까지 보여줬다. 직접 요리하는 날이 많았지만 그렇지 않은 날에도 배달음식을 그릇에 옮겨 담아 자신만을 위한 밥상을 정성스레 차렸다고 했다. 이제는 혼자서 먹는 저녁이 반갑고 더불어 자신을 아끼는 일이라고 생각하니 괜스레 마음마저 뿌듯했다며 약간 상기된 얼굴로 그는 쉼없이 떠들었다. 퇴근 후 단순히 허기만을 달래기 위했던 저녁 식사가 고단했던 그의 하루를 위로하는 순간으로 바뀌었다는 걸 그는 몸소 느낀 것이었다.

멍하니 자기의 말을 듣고 있던 나를 돌아보며 그가 말했다. "그러니까 남에게만 잘 보이려고 하지 말고 자기 자신도 좀 돌보라는 거야. 우리는 너무 남에게만 잘 보이려고 아등바등하며 사니깐. 정작 제일 중요한 나는 뒷전이 되잖아. 내가 나를 아끼지 않는데 누가 날 아껴주겠어, 안 그래?"

내 대답을 들을 새도 없이 곧바로 그는 "자, 이건 선물."이라고 덧붙이며 작은 종이가방을 내게 건넸다.

집으로 돌아와 그가 준 선물을 풀어보았다. 짙은 파란색 줄무늬가 돋보이는 한 뼘 정도 크기의 직사각형 접시였다. 빈 접시의 매끄러운 표면 위로 동료의 말이 슬며시 떠올랐다. 내가 나를 아끼지 않는데 누가 날 아껴주겠냐는 말. 돌이켜보니 나도 동료가 보았다는 유튜브 영상에 등장한 여자 연예인과 크게 다르지 않았다. 요리를 좋아하고 이따금 친구들을 초대해 음식을 대접하기도 했다. 하지만 정작 나 혼자서 밥을 먹을 때면 최대한 설거짓거리를 적게 만들려고만 애썼다. 그릇과 접시가 충분히 있음에도 귀찮다는 생각에 꺼내지 않았다.

냉장고를 열어 반찬을 꺼냈다. 선물 받은 접시를 깨끗이 씻고 몇 가지의 반찬을 먹을 만큼 조금씩 덜었다. 밥과 국도 그릇에 담아 간단하게 밥상을 차렸다. 평소라면 반찬통 때문에 식탁이 비좁았을 텐데 접시에 먹을 만큼 덜어내니 공간도 넓어지고 보기에도 좋았다. 별로 대단한 게 없었다. 차이점이라면 그저 반찬을 접시에 옮겨 담았을 뿐이었다. 가만히 밥상을 내려다보니 나도 모르게 입가에 미소가 잔잔하게 번졌다. 동료가 말한 것처럼 괜스레 마음이 뿌듯했다. 휴대전화를 들어 사진을 몇 장 찍었다. 가장 잘 나온 사진을 골라 동료에게 전송했다. 선물에 대한 고마움의 표시였다. 얼마 지나지 않아 그에게서 답장이 왔다.

'축하해, 너를 위한 밥상을.'

4. 고공낙하, 바닐라 아이스크림.

나는 기억한다. 상공 4,500미터에서 떨어지던 그 순간을.

아일랜드에서 유학 생활을 마치고 한국으로 돌아오기 전, 나는 40일 동안 유럽 배낭여행을 했다. 여러 도시를 여행했지만, 그중에서 가장 오래 기억되는 곳은 체코의 수도, 프라하였다. 내가 프라하를 여행하겠다고 결정했을 때 딱 한 가지 목표가 있었다. 그것은 비행기에서 뛰어내려 높은 고도의 상공을 활공하다가 지상 가까이에서 낙하산을 펴서 착륙하는 스포츠, 바로 스카이다이빙이었다. 프라하는 스카이다이빙으로 꽤 유명한 도시였다.

이왕이면 제일 높은 곳에서 뛰어내리고 싶었다. 여러 업체를 알아보았고 가장 높은 곳에서 다이빙한다는 문구를 크게 걸고 홍보하는 곳으로 예약했다. 홍보용 포스터에는 커다랗게 15,000피트라고 적혀 있었다. 15,000피트, 미터로 환산하면 4,572미터. 수치를 보아도 얼마만큼의 높이인지 가늠조차 되지 않았다. 그저 상당한 높이겠다고 막연하게 생각할 뿐이었다.

아이러니하게도 나는 절대적으로 높은 곳을 무서워했다. 초등학교 시절 소풍으로 놀이공원에 갔을 때 당시 대기 줄이 가장 길었던 놀이기구 '자이로드롭'은 바라보는 것만으로도 오금이 저릿했다. 만만한 놀이기구라고는 큰 커피잔이 빙글빙글 계속 돌아가는 것이나 회전목마와 같이 높이와는 전혀 상관없는 것들이었다. 그런 내가 프라하에서 스카이다이빙을 한다는 건 맥락이 맞지 않았다. 그럼에도 불구하고 내가 선뜻 스카이다이빙 예약을 한 것은, 한 번쯤 이 두려움을 이겨내고 싶었다. 하늘을 나는 비행기에서 뛰어내린다면 나의 고소공포증은 사라질 수도 있지 않을까? 라는 생각이 들었기 때문이다.

예약한 당일 아침, 기세등등했던 내 모습은 온데간데없었다. 밤새 걱정에 뒤척이느라 잠을 거의 한숨도 자지 못했다. '발을 헛디뎌 예상치 못한 순간에 떨어지면 어쩌지?, 낙하산이 펼쳐지지 않는다면?, 경비행기는 안전하겠지?' 이런 생각들이 지난밤 내 머릿속에서 둥둥 떠다녔다.

내 맘과는 다르게 창밖의 하늘은 뛰어내리기에 더할 나위 없이 파랗고 깨끗했다. 비라도 내려 예약이 취소되길 바랐는데 맑은 날씨가 야속하기만 했다. 무거운 발걸음을 내디뎌 약속한 장소에 도착해 인솔자를 만났다. 그는 차를 타고 40분 정도 이동한다고 설명한 뒤 스카이다이빙 경험이 있는지를 물었다. 나는 잔뜩 긴장한 나머지 세차게 고개를 저어 대답을 대신했다. 그 모습을 보고 가볍게 미소를 지으며 그는 말을 이었다.

"처음에는 누구나 다 그래, 처음이니까. 그렇지만 비행기에서 뛰어내리기만 하면 다른 세상이 펼쳐질 거야. 네가 지금껏 한 번도 경험하지 못한 세상이지. 그러니 너무 걱정하지 마! 맛있는 아이스크림을 먹으러 간다라고 생각해."

"아이스크림?" 내가 의아하다는 듯이 되물었다.

그는 자기 경험을 말해주었다. 처음 스카이다이빙을 하던 날, 그도 나와 같이 두려웠다고 했다. 순간 자기가 이 짓을 왜 하고 있는가, 라는 의문까지 들었다고 말했다. 그걸 알아차린 것인지 그와 함께 뛰어내리는 다이버가 비행기 문턱에서 까마득히 멀어진 지상의 한 군데를 손가락 끝으로 가리키며 말했다. "저기 초록색 지붕보이니? 저기 아이스크림이 정말 맛있거든? 이 동네에서 나름 유명한 맛집이지. 우린 지금 그걸 먹으러 간다고 생각하는 거야. 그럼 갈까?"

그의 시선이 서둘러 다이버가 가리킨 손가락 끝을 따라갔지만, 초록색 지붕 따위는 보이지 않았다. 찾으려고 두 눈을 부릅뜬 찰나 그의 몸은 하늘에 내던져졌다. 그렇게 그는 새로운 세상에 발을 내딛게 되었다.

그때 먹은 아이스크림 맛을 잊을 수 없다고 그는 오래전 일을 떠올리며 말했다. "흥분된 마음을 차가운 아이스크림으로 달래주는 거야. 거기다가 달콤하고 맛있기까지 하잖아. 새로운 도전에 대한 보상으로 이만한 것도 없지. 그러니 너도 아이스크림을 먹으러 가는 길이라고 생각해 봐."

말을 마친 그의 얼굴에는 왠지 모를 자신감이 묻어 있었다. 꼭 지금 막 하늘에서 낙하산을 타고 내려와 내게 용기를 북돋아 주는 것만 같았다.

'아이스크림을 떠올려. 그러면 네 마음속 어딘가에 잠자코 숨어있던 용감한 기운이 샘솟을 거야.'

인솔자와 수다가 끝나갈 때쯤 다이빙 장소에 도착했다. 고개를 들어 하늘을 올려다보니 사람들이 하나, 둘 낙하산을 타고 떨어지고 있었다. 그 모습은 마치 바람에 몸을 맡긴 채 두둥실 떠다니다가 천천히 지상에 내려앉는 민들레 씨앗 같았다.

옷을 갈아입고 안전 교육을 받은 뒤 활주로를 가로질러 비행기를 향해 걸었다. 코를 찌르는 지독한 기름 냄새, 고막을 찢을 듯한 프로펠러 소리, 한 발 내딛기도 힘든 강한 바람을 뚫고 비행기에 올라탔다. 체험자는 나를 포함해 총 네 명이었다. 그중 한 명의 직업이 승무원이었는데 그의 말에 따르면 우리가 뛰어내리는 높이는 비행기가 착륙을 준비하는 높이라고 말해주었다. 순간 정신이 아득해졌다.

비행기의 높이가 15,000피트에 도달하자 문이 열렸다. 즉시 엄청나게 강한 바람과 소음이 기체 안으로 들이닥쳤다. 고개를 살짝 옆으로 빼서 힐끔 발밑을 내려다보았다. 정신을 잃어버릴 것 같이 혼미했다. 그런 와중에 저 아래 인솔자가 말했던 아이스크림 가게가 신기루처럼 언뜻 보이는 것도 같았다. 내 차례가 다가오자, 심장이 미친 듯이 뛰기 시작했다. 심장이 있어야 할 자리에 커다란 물고기가 살고 있는 게 아닌가 생각했다. 그래서일까 물속에 뛰어드는 것도 아닌데 나도 모르게 숨을 참았다. 침착하려고 애쓰며 머릿속으로 '아이스크림, 아이스크림'하고 주문을 외웠다.

모든 과정을 촬영하고 있던 카메라맨이 먼저 비행기에서 뛰어 내렸다. 곧이어 나를 자기 몸 앞쪽에 매달고 있는 다이버도 빠르게 카운트다운을 외치더니 내가 비명을 지를 새도 없이 뛰어내렸다. 일순간 엄청난 바람에 몸이 살짝 위로 떠오르나 싶더니 이내 곤두박질치듯 바람을 가로지르고 지상을 향해 추락했다. 꿈속에서 떨어지던 느낌과는 완전히 달랐다. 바람을 타는 커다란 방패연이 된 것 같았다. 무엇과도 닿아있지 않는데도 어째서인지 편안한 느낌마저 들었다. 긴장감이 느슨해진 순간 겨드랑이에 통증이 일더니 몸이 다시 하늘 위로 붕 떠올랐다. 낙하산이 펼쳐진 것이었다. 속도가 줄어든 탓인지 그제야 프라하의 전경이 눈에 들어오기 시작했다. 연신 감탄을 뱉어내듯 외치는 내게 다이버는 낙하산 조종법을 알려주었다. 하늘을 나는 기분이 이런 거구나 싶었다. 순간 저 멀리 인솔자가 말했던 초록색 지붕의 아이스크림 가게가 시야에 걸렸다. 아이스크림을 생각하니 군침이 돌고 허기가 졌다. 그러고 보니 긴장한 탓에 종일 아무것도 먹지 못했다. 빈속이 위액 때문인지 약간 쓰렸다. 빨리 아이스크림을 먹고 싶었다.

초록 지붕의 아이스크림은 내가 알고 있는 아이스크림과는 조금 생김새가 달랐다. 콘 모양의 과자 대신 속을 비워낸 원통 모양의 빵 안에 부드러운 바닐라 아이스크림이 고깔 모양으로 채워져 있었다. 인솔자의 말처럼 아이스크림은 정말 맛있었다. 이 순간을 잊지 않으려고 나는 천천히 맛을 음미했다. 격앙된 마음이 점차 차분해지는 것을 느꼈다. 고개를 돌려 인솔자를 바라보았다. 나와 같이 행복한 모습으로 아이스크림을 먹고 있었다. 눈이 마주치자 '내 말이 맞지?'라는 표정으로 내게 고갯짓했다. 나는 슬며시 엄지손가락을 치켜세우며 크게 외쳤다.

"One more!"

5. 너는 과일, 나는 고기.

"골고루 먹어야 건강하게 잘 크지."

어릴 적 밥을 먹을 때면 어른들은 종종 이렇게 말씀하셨다. 뭐든지 잘 먹고 편식하지 않아야 무럭무럭 자란다고. 그렇지만 어른들의 말처럼 그것은 그리 간단한 문제가 아니었다. 나 역시도 좋아하는 음식, 싫어하는 음식이 뚜렷했기에 골고루 먹는다는 건 상당히 어려운 일이었다. 음식을 가리지 않고 골고루 먹을 수 있는 건 축복받은 능력을 갖춘 것과 다름없다고 생각했다. 그렇다고 부모님이 싫어하는 음식을 억지로 먹이지 않으셨지만, 나는 저 말이 싫었다. 좋아하는 것만 먹어도 금방 배가 부르는데 왜 좋아하지도 않은 음식을 억지로 먹어서 위의 공간을 낭비해야 하는 것일까. 그때는 미처 알지 못했던 것 같다. 골고루 먹을 줄 아는 것의 중요성을.

어른이 되면 아니, 부모님으로부터 독립하게 되면 내가 좋아하는 음식만 먹고 살게 될 것으로 생각했다. 누가 '편식하면 안 된다.', '이게 몸에 좋은 음식이다.' 하면서 먹기 싫은 음식을 억지로 떠먹이지 않으니까. 그러나 내가 처한 현실은 독립하고서도 생각했던 대로 이루어지지 않았다. 가족에게서 떨어졌지만, 온전한 독립은 아니었다.

내게는 나보다 4살 많은 룸메이트가 있다. 혼자서는 월세로 너무 많은 금액을 지출해야 하는 암담한 현실에서 내게 룸메이트는 선택이 아닌 필수였다. 우리는 나이만큼이나 많은 부분이 달랐다. 어쩌면 그것은 당연했다. 오랜 시간 서로 다른 가정 환경에서 자란 두 사람이 한 집에 산다는 게 순탄치는 않을 거로 생각했다. 하지만 실상은 생각보다 심각했다. 사소한 것부터 중대한 것까지 생활 전반에 걸쳐 크고 작은 많은 부분이 달랐다. 하물며 MBTI도 둘 다 내향적인 사람이란 것을 제외하면 나머지는 전부 다 반대였다.

다른 무엇보다 우리는 공동생활에 있어 가장 중요한 식성, 즉 입맛이 달랐다. 그가 스무 살이 되어 처음으로 삼겹살을 먹었다는 이야기를 들었을 때는 경악을 금치 못했다. 어떻게 삼겹살을 스무 살이 넘어서 처음으로 먹을 수 있다는 말인가. 심지어 그는 바닷가 사람도 아니었다. 아니 그렇다 하더라도 이게 있을 수 있는 일인가 싶었다.

그는 사과가 유명한 충청남도 예산에서 나고 자랐다. 그래서일까? 그는 과일을 무척이나 좋아했다. 태어나 이렇게 과일을 좋아하는 사람을 처음 봤다. 아마 죽기 전에 먹을 수 있는 음식을 고르라고 하면 나는 한참을 고민할 터였지만 그는 조금의 머뭇거림도 없이 여러 과일이 담긴 과일 바구니를 선택할 것이다. 그러나 나에게 있어 과일은 모름지기 제사나 명절, 그것도 아니면 결혼식이나 외식으로 뷔페에 갔을 때만 먹는 음식이었다. 그것도 아주 조금만. 그런데 돈을 주고 사 먹는 사람이 있다니. 실로 놀라웠다. 나라면 그 돈으로 고기를 사 먹을 텐데.

그가 과일을 좋아한다면 나는 고기였다. 모든 고기를 좋아했지만, 특히 돼지고기를 사랑했다. 그래서 우리는 동거 초반에 메뉴를 결정하는 데에 있어 많이 삐그덕거렸다. 예를 들어 고기를 좋아하는 나는 김치찌개도 돼지고기가 숭덩숭덩 들어간 것을 좋아했다. 하지만 그는 애석하게도 고기를 좋아하지 않았다. 정확히 말하면 싫어했다. 고기의 그 특유한 냄새를. 내가 생선 냄새에 민감한 것처럼, 그는 고기 냄새에 예민했다. 그렇기에 그는 돼지고기보다 참치 통조림을 넣은 김치찌개만 먹었다.

이러한 사실이 얼마나 불편한 일인지 경험하지 못한 사람은 모를 것이다. 집안에서 요리를 담당하는 나로서는 김치찌개를 동시에 두 개를 만들어야 한다는 말이었다. 지금은 참치가 들어간 김치찌개를 먹을 수 있지만 동거를 시작할 당시만 해도 참치 통조림도 비리다고 느껴서 잘 먹지 않았다. 내가 요리를 하는 사람인데도 내가 좋아하는 음식만을 만들 수 없다는 사실이 참담했다. 왠지 모를 배신감에 비통한 기분마저 들었다. 그때 서야 깨달았다. 둘 중 한 명이라도 골고루 먹을 수 있는 사람이었더라면 이러한 상황은 일어나지 않았을 거라고.

이러한 날들이 반복되던 어느 날, 우리의 동거생활에 청신호가 떠오른 날이 있었다. 그와 처음 치킨을 먹을 때의 일이었다. 해가 지면 제법 바람이 쌀쌀해지는 어느 주말이었다. 음식 하기도 귀찮고 냉장고에 마땅한 재료도 없어서 배달 음식을 주문하기로 했다. 무얼 먹을지 잠깐 고민하다가 먼저 치킨을 먹자는 그의 말에 옳다구나 하고 덥석 휴대전화를 들었다. 고기를 싫어한다고 해서 치킨까지 싫어하는 건 아니구나 하고 안도의 한숨을 조용히 내쉬었다. 얼마 지나지 않아 주문한 음식이 도착했다. 들뜬 몸짓으로 포장을 뜯고 있는 내게 그가 말했다.

"나는 살이 뻑뻑한 부위를 좋아해. 넌?"

순간 내게 묻는 그 말이 너그러운 신의 음성인 것 같아 멈칫했다. 세상에 뻑뻑한 살을 좋아한다니. 그의 질문이 귓바퀴에서 메아리처럼 나지막이 울려 퍼졌다. 이런 귀인과 내가 살고 있었다는 사실에 그가 평소와 달리 온화하고 인자한 사람처럼 보였다. 열어둔 거실 창문으로 불어오던 서늘한 바람마저 훈훈하게 느껴졌다. 어린 시절 동생과 치킨을 같이 먹을 때면 늘 닭 다리와 닭 날개로 싸우곤 했는데 이렇게 평화롭게 닭 다리와 닭 날개를 내가 모두 차지할 수 있다는 사실에 나는 살짝 울컥하고 감격스럽기까지 했다. 그렇다고 그가 특별히 내게 양보를 해준 것도 아니었는데 말이다.

그날 이후, 우리는 서로 다른 입맛으로 인해 상대를 배려하는 방법을 배웠다. 처음에는 내가 먹고 싶은 음식을 요리하지 못한다는 점이 좀 억울했는데 지금은 '아, 이건 룸메이트가 좋아하지 않은 음식이지.' 생각하며 요리하게 되었다. 혼자서 시장에 갈 때도 그의 입맛을 고려해 좋아하는 과일을 몇 개 사 오고 평소 잘 먹는 반찬을 장바구니에 담아왔다. 과일을 좋아하는 룸메이트 덕분에 나도 여름에는 수박, 겨울에는 귤같이 제철마다 맛 좋은 과일을 얻어먹었다.

어쩌면 남을 배려한다는 건 결국 나 자신을 배려하는 일인지도 모른다. 음식을 골고루 잘 먹지 않아도 서로가 좋아하는 음식을 존중하고, 싫어하는 음식은 이해한다면 우리는 잘 자란 어른이지 않을까?

지금도 우리는 서로를 아끼며 자신을 돌보는 어른으로 살아가려 노력하고 있다.

- Epilogue

어린 시절 겨울이면 아빠는 이따금 군밤 봉지를 품에 안고 돌아오셨다. 그때는 왜 하필 군밤을 사 오실까 궁금했다. 나는 군밤보다는 어묵이나 붕어빵이 더 좋았다. 나중에 커서 알게 된 사실은 군밤은 엄마가 좋아했던 겨울 간식이었다. 아빠에게서 건네받은 군밤을 엄마는 먹기 좋게 껍질을 벗겼다. 잘 구워져 반달처럼 예쁘게 껍질을 벗긴 군밤은 나와 동생 입에 넣어주시고 껍질이 잘 까지지 않아 거칠거칠한 속 껍질이 군데군데 붙어 있는 건 엄마의 몫이었다. 아빠는 그저 말없이 우리를 바라보다 남은 군밤 하나를 입에 넣고는 웃으시며 말했다.

"맛있냐?"

불어오는 바람이 코끝을 시리게 만들 때면 자연스레 붕어빵보다 먼저 군밤이 머릿속에 떠오르고는 한다. 지금도 군밤보다 붕어빵을 더 좋아하지만, 겨울은 나에게 있어 군밤의 계절이었다.

유난히도 힘들었던 하루, 지친 몸을 이끌고 집으로 돌아오는 길에 지하철 역사에 퍼져있는 달콤한 냄새에 발길이 머뭇거렸다. 매일 맡는 냄새임에도 불구하고 그날은 냄새에 발목이 붙잡힌 듯 자리에서 꼼짝없이 한참을 서성거렸다. 결국 평소 좋아하지도 않는 옥수수 모양의 작은 빵이 담긴 봉지를 들고 집으로 돌아왔다.

불현듯 군밤을 사 오시던 아빠가 생각났다. 내가 옥수수빵을 사 온 것처럼 아빠가 군밤을 사 왔던 그날들은 평소보다 유독 더 힘들었던 하루가 아니었을까 하고 생각했다. 그날의 아빠를 살아가게 한 건 품에 안아 따뜻한 온기가 남아있는 군밤 한 봉지일지도 몰랐다. 오늘 나의 옥수수빵 한 봉지처럼 말이다.

살면서 셀 수 없이 많은 음식을 먹었다. 그중에 지난날의 나를 살아가게 한 음식은 무엇이었을까? 그동안 내가 먹어온 것들이 오늘의 나를 구성하는 거라면 그건 단순히 먹었던 음식만을 말하는 건 아니다.

음식을 더해 함께 나눈 사람과의 기쁨과 슬픔도 나누었고, 때로는 힘든 날에 위로를, 어느 날에는 앞으로 나아갈 용기를 얻었다. 영원히 잊지 못할 추억까지 전부 다 소화해 내 몸 구석구석 어딘가에 흡수시켜 지금의 나를 구성하고 있다고 생각한다.

앞으로도 나는 지금까지 먹었던 음식보다 더 많은 음식을 먹으며 살아갈 것이다. 그리하여 또 다른 새로운 추억을 만들고, 두려운 것을 이겨낼 용기를 얻고, 여러 사람과 함께 울고 웃으며 다가올 불투명한 내일을 선명하게 만들며 앞으로의 오늘을 향해 나아가겠다.

자, 이제 당신이 떠올릴 차례다. 지금까지의 오늘을 살게 하고, 그리고 앞으로 다가올 수많은 당신의 오늘을 살아가게 하는 한 그릇은 무엇인가.

08

푸르른 붉은 점

정원경

소설

정원경

흙을 좋아하는 대학생이다. 비릿하고 씁쓸한 땅 내음이 좋아서 시작한 모래놀이가 어느덧 전공이 되었다. 덩어리를 뭉쳐 언어 그 이상의 것을 표현하고 다시 부수기를 반복했다. 마음에 들지 않은 날이면 종이와 펜만 가지고 나가 낙서를 했다. 그 조차도 질리는 날이면 의미 없는 단어를 나열했고, 그러다 짧은 글을 썼다. 그리고 여기서는 마음 한 구석에 있던 이야기를 조잘조잘 꺼내보려고 한다.

푸르른 붉은 점

- 1장

어디선가 귀뚜라미가 울고 있을 계절이었다. 계절이 옷을 갈아
입음에 따라, 너도 나도 입던 옷을 빨아 고이 접어 넣고 고이 접혀
있던 옷을 꺼냈다. 하지만 태하는 여전히 팔을 훤히 내놓고 다녔
다. 작업복을 걸치고 작업을 하기엔 그 편이 적합했다.

구리선을 꼬고 자르다 보니 시간은 자정이 넘어가고 있었다. 늦
은 시간까지 작업을 하는 건 상당한 집중력과 노동력을 요구한다.
그렇지 않다가는 사고는 한순간이니까. 그렇다고 해서 꼭 집중한
다고 다치지 않는 것도 아니다. 오늘이 그랬다. 얇은 구리선에 엄
지손가락과 손톱 그 사이를 찔려 피가 났다. 피가 나도 밴드를 붙
이면 손끝이 둔해져 밴드를 붙이지도 못한 채 작업을 이어나갔다.

작업이 끝나고 나올 때가 되어서야 태하는 손톱 사이가 아르르한 지 엄지손으로 주머니 속 핸드폰을 지그시 눌러댔다. 그래도 주머니에 넣은 손끝은 자꾸만 아려왔다.

집에 가기 위해 작업실에서 나와 손끝을 꾹꾹 누르며 도착한 버스 정류장에는 두 여자가 술에 취해 소란스럽게 떠들고 있었다.

"문맹이라 글을 몰라? 문맹이라 글을 모르냐고! 소란도 어지간해야 소란이지!"

슬리퍼를 끌고 나와 소란 주의라는 경고문을 가리키며 아주머니가 나와 윽박을 질렀다. 미간 사이에 주름이 깊은 게 보통 성격이 아닌 듯 했지만, 그 앞에 있는 두 여자들도 못지않았다. 술에 취해 비아냥거리는 목소리로 '죄송합니다'하고 아주머니가 들어가자 조용히 '미친년'하고 읊조렸다.

"야 시발 내가 그 새끼한테 얼마나, 얼마나 그랬는지 아냐고. 내가 군대도 기다려줬다고. 알아? 그래서 내가 걔 엿 먹이려고 걔네 엄마 아빠한테 전화했잖아."

"미친… 전화도 했어?"

"야 그럼 억울해서 안 하냐? 너는 군대 간 남자친구 기다려줬더니 내 친구랑 바람난 새끼 그냥 둘 수 있어? 난 못한다고. 뭐 어차피 어머니 아버님 다 나 아시니까. 그 저기 뭐야, 몇 번 밥 사주셨거든. 그래서 전화 받자마자 '안녕하세요 저 혜린인데요, 아드님이 바람을 피워서 헤어졌어요' 그랬지. 그랬더니 당황하시면서 잠깐 볼 수 있냐고 막 그러시더라. 아들이 바람났는데 부모가 잡는 건 또 뭐냐? 정신 나갈 것 같아서 그냥 끊고 다 차단했지."

울부짖는 이야기에도 태하는 무관심했다. 손끝은 여전히 아려왔지만 무표정으로 무감각하게 서있을 뿐이었다.

"내가 걔 사고 났을 때 죽 쒀서 병원 가져가고 그랬어. 내가 말하지 않았나? 걔 한 2주 병원에 누워있었잖아. 오토바이 타다가 어디에 박았다고. 하여간 말은 처 듣지도 않았어 애초에. 그걸 몰랐던 내가 등신인 거지. 아니 아무리 그래도 내 친구랑 바람날 건 또 뭐냐고 시발."

분명 술을 마시기 전부터 다 했던 이야기일 텐데 그녀의 하소연은 끝이 날 줄 몰랐다. 버스가 도착해도 그녀의 하소연은 계속됐다. 분명 모든 차가 끊겼고 이 버스가 막차라 타야 할 텐데, 처음부터 택시를 타기로 마음먹은 사람인 것 마냥 버스는 쳐다보지도 않았다.

버스에 올라탄 태하는 카드를 찍고 맨 뒷자리에 앉아 눈을 붙였다. 다시 손끝이 아려와 눈을 뜨자 버스 창 너머로 두 여자가 여전히 고꾸라질 듯 말을 쏟아내는 게 보였다. 무슨 여자애들이 이 시간까지 술을 마시며 저러냐며 버스 기사는 혀를 쯧쯧 찼다.

태하는 다시 눈을 감았다. 다들 참 피곤하지도 않은가? 사람한테 기대하고 실망하는 일이 가장 멍청하다고 생각했다. 그때 태하의 주머니에서 드르르 진동이 울렸다.

"여보세요?"

혁준이다.

"오늘 네 자취방 가도 되냐?"

"안 돼."

오늘도 '성실하고 책임감 있게'라는 구절에 들어맞는 시간을 보냈고 내일도 그거다. 수업을 듣고 과제를 할 것이며, 끝나지 않을 경우 늦게까지 과제를 할 거다. 모든 날들이 그러했듯.

"나 내일 수업 있어."

"누구는 없어? 네가 고딩이냐고. 그러지 말고 나랑 마시자. 나 차였어."

정말이지 다들 헤어질 걸 몰라서 사귀는 건가? 애초에 예견된 아픔이지 않는가. 정류장에서부터 피곤한 사람들이 즐비했다.

"그런 거면 됐다. 끊자. 그거 그냥 자고 일어나면 돼."

전화기를 주머니에 넣고 다시 눈을 감았다. 고대 그리스 양식, 자연주의, 이상주의, 자연을 추구하지만 결국 반자연적인, 이번 정류장은 대학동 고시촌입니다. 다음 정류장, 결국에는 형식적인 것, 끝끝내 있는 그대로 직시하지 못한 것, 자연스럽지 못한, 세상에 그런 근육은 존재하지 않아, 어쩌면 이데아의 것일지도 모르지, 현실은.

"안 내리세요? 다음이 종점인데 내리셔야지."

"내릴게요, 잠시만요."

급한 대로 한쪽으로 가방을 멘 채 카드를 찍고 내렸다. 버스가 지나간 자리엔 빨간색 정지 신호의 지독한 침묵이 남아있다. 침묵에 잠식된다면 어떻게 될까. 누에가 뽕잎을 먹듯 야금야금 침묵에게 잡아 먹혀 침묵의 작디작은 세포가 되고 싶었다. 세상의 진동을 느낄 수 없는 점이라는 개념으로서 존재하고 싶었다. 무색무취의 것. 사람들이 있다고 하니 비로소 있는 것. 좌표평면 어딘가를 부유하고 싶었다. 어쩌면 이미 세상이라는 것이 좌표평면 위에 지어졌을지도 모를 일이다. 그러나 세상에는 너무 많은 점들이 있다. 나라는 점 옆에 '타인'라는 점이 생겨, 나의 위치는 상대적인 것이 되어버렸다. 너를 기준으로 두고 나의 위치를 정의할 수 있었다. 그건 마치, 거대한 우주에서 표류하다 시끄러운 지구에 두 발을 내려놓은 격이었다. 그렇게 나에게 '적당한 지점'이라는 것이 부여됐다. 그리고 그 순간 나는 숨이 멎었고 답답한 족쇄가 채워진 듯했다. 타인이라는 뜨겁고 붉은 점은 한 번 자리하면 잘 지워지지 않았다. 지우개를 들이댈 때마다 붉은 색연필로 쓴 글을 지우는 것처럼 번졌다.

"그래. 네 얘기야."

빨간 정지 신호가 푸르게 바뀌자 태하는 혼잣말을 하며 신호등을 건넜다.

- 2장

식탁 앞 의자에 코트를 걸치다가 문득 주머니에 넣어둔 지갑과 전자담배가 생각나 코트를 집어 올렸다. 작년 겨울 담배를 끊겠다는 다짐을 했지만 연초에서 전자담배로 바뀌었을 뿐이다. 연초에 비하면 가습기 수준이라며 스스로를 위안했지만, 틈만 나면 습관적으로 피우는 탓에 이도 저도 아닌 것이 되어버렸다.

그 옆의 가죽 지갑. 카드 밖에 안 들어가는 검은 지갑에는 여러 장의 카드가 숨도 못 쉬게 꽂혀있었고, 꼬깃꼬깃 쑤셔 넣어놓은 만원 2장이 영수증처럼 구겨져 있었다. 지폐 사이로 민혜의 증명사진이 삐죽 나와 있었다. 오래 전에 넣어놓고 까먹어서 그대로 두었더니 박제된 듯 했다. 삐져나온 모서리만 약간 닳아있고 모든 것이 그대로였다. 민혜의 물건에서 나는 냄새는 사라졌지만, 사진을 건네주던 날의 공기는 그대로였다. 책을 넘기다가 우연히 발견한 말라버린 꽃잎처럼.

"그만 좀 피우지? 그러다 폐 다 썩겠다."

꺼낸 증명사진 속 민혜는 말을 하는 것처럼 보였다. 그도 그럴 것이 그렇게 피우지 말라던 담배와 한 주머니에서 하루 종일 지지고 볶인다면 그럴 법도 했다. 단정한 머리와 앙 다문 입술. 반짝이는 귀걸이는 태하가 사준 것이었다. 민혜의 검은 눈동자를 살펴보았다. 봐도 보이지 않는 태하의 검은 두 점과 달리 민혜는 검은 두 점은 맑고 잔잔한 호수 같이 반짝였다.

"넌 좀 많이 지독해."

"그래, 알아."

"알면 좀 그만하면 안 돼? 있는 돈 없는 돈 다 모아서 갑자기 아프리카는 왜 가겠다는 건데? 그것도 여자 혼자서 생판 모르는 곳에 가서 뭘 어쩌겠다는 거야. 거기에 뭐가 있어서."

"아무것도 없어서. 그래서 가는 거야, 아프리카. 여기는 너무 시끄러워. 지구가 원래 시끄러운 거는 나도 알거든? 뉴스만 봐도 시끌시끌하니까. 근데 서울은 굳이 따지자면 공연장 같아. 다들 멀쩡하게 입고 열광하는 것 같은데 자세히 보면 어디에 미쳐있어. 돈에 미치든, 사람에 미치든, 일에 미치든. 어디 하나에 단단히 미쳐서 다른 곳에는 둔감해. 아무리 사랑하는 사람이 옆에 있어도 둔해 자빠졌다고. 너도 그렇고. 그래서 가는 거야. 여기 있다가는 나도 미쳐버릴 것 같아서."

그 날 태하는 알 수 없는 단어의 나열에 쓰라렸다. 어떻게 잊은 건데, 사진 하나가 정말이지 모든 것을 원래대로 돌려놓았다.

"됐다. 피곤한 일이 산같이 쌓여있고, 갈 길은 강 넘어 강이야."

빽빽한 카드 사이를 비집으며 다시 사진을 우겨 넣어보았다. 숨도 못 쉴 것 같은 카드지갑에 틈을 찾아 자리를 내주려 하니 사진은 잘 들어가지지 않았다. 신경질적인 마음은 더 커져, 태하는 힘으로 사진을 집어넣기 시작했다.

"아!"

짧은 순간에 언제 다쳤는지 알 수 없는 상처 위로 새로운 상처가 생겼다. 붉은 두 선. 닿을 듯 닿지 않을 듯 오묘하게 겹쳐있었다. 두 상처가 닿을 듯 한 점에 손가락을 가져다 댔다. 찌릿한 느낌이 났지만 손가락을 떼지 않았다. 오래 전에 난 상처 위에 새로운 붉은 피가 맺히고 있었다. 평소라면 언제 난 상처인지 기억도 못했을 거다. 그러나 너무 오래 봐서 그런지 자꾸만 저리고 비릿한 냄새가 나는 것 같았다.

침대 위로 몸을 던졌다. 붉은 두 선을 노려본 눈은 피로에 절어져 하얀 형광등 빛에도 따가웠다. 눈을 질끈 감았다. 눈을 감고 길게 뻗은 손을 더듬이 삼아 전자담배를 집었다. 하얗게 일어나는 연기는 물에 떨군 잉크처럼 퍼져나갔다. 그리고 방 전체를 뒤덮었다. 어디서부터 망가진 걸까. 그래, 무디고 예리한 것이 공존했다. 뭉툭한 칼날의 날카로운 그림자가, 낡은 상자에 담긴 유리조각이 어울려 불협화음을 내고 있었다.

한 때는 무딘 것이 이롭다고 생각했다. 세상의 모든 자극은 폭력적으로 다가왔다. 그리고 그 자극에 찔리는 것을 막기 위해 감각을 차단했다. 그러다 민혜를 만났고 그 애는 이 모든 것을 망쳐놓았다. 심장을 뛰게 했고, 다시 말랑한 상태로 돌려놓았다. 그러다가 말랑한 덩어리가 지쳐서 딱딱하게 굳어갈 무렵, 그 애는 질린다며 깊이 찌르고 영원히 떠나버렸다. 결과적으로 어지러운 상태가 되었을 뿐이었다. 그리고 모든 것이 엉망이 되어버린 지금 옅게 깔리는 상처의 아픔을 소스라치게 잊고 싶었다.

"여보세요? 나 너네 자취방 가도 되냐?"

태하는 전화를 걸었고 혁준은 그러라 했다.

3장

"뭐 좀 사왔냐?"

"뭐."

"술이라던지, 술이라던지, 술."

책상 위에 내려놓은 편의점 봉투에는 소주 3병이 담겨있었다. 혁준은 작은 식탁을 폈다.

"내일 수업이시라면서요. 갑자기 무슨 일이야? 표정 보니까 헤어진 친구 위로해주겠다고 온 건 아닌 것 같은데. 난 너가 이렇게 불쑥 오겠다 하면 괜히 그날 생각나서 섬뜩해."

"갑자기 찾아와서 미안해."

"술 취해서 기억도 못 하잖아 너. 경찰 오지, 사이렌 울리지, 너는."

"그만 해. 그만해줘."

"그래. 일단 앉아."

술 따르는 소리가 적막을 갈랐다.

"괜찮은 줄 알았더니 영 아니었나 봐."

"이봐요, 무슨 일인지 설명부터 하세요."

"지갑에 민혜 증명사진 들어있었어. 아무 생각 없다가 꺼내 보니까 머리가 깨질 것 같더라. 혼자 있으면 무슨 일 있을 것 같아서 너네 집으로 온 거야."

혁준은 아무 말 없이 소주를 마셨다. 유리로 된 소주잔과 나무 협탁이 만나는 소리는 둔탁했다. 혁준은 감히 아무 말 할 수 없었다. 혁준은 사랑하는 사람이 모두 이 세상 사람이었고 사랑했던 사람도 사람이었다. 그런 혁준에게 이 세상 사람이 아닌 민혜에 대한 이야기는 심해에서 숨 쉬는 일과 같았다. 혁준의 손끝이 소주잔을 빙빙 두르며 간신히 입을 열었다.

"괜찮냐?"

"괜찮겠냐. 너도 그날 생각하면 섬뜩하다며."

혁준은 소주를 따랐다.

"민혜 소식 듣게 된 그 날부터 오늘까지, 3년 다 되어가는 시간 동안 나는 잊으려고 부단히 노력했어. 근데 한 번씩 기억에도 없는 흔적들을 보면 흉터 위로 날카로운 것들이 마구 지나가는 것 같다고. 내가 걔 그렇게 되고 집 청소를 얼마나 열심히 했는 줄 알아? 왠만한 것들은 잊으려고 버렸고 그래도 못 버리겠는 건 상자에 담아서 본가에 있는 서랍 깊은 곳에 넣어뒀어. 그래도 이렇게 어이없이 나타나잖아."

막혔던 수도꼭지에서 물이 터지듯 말을 쏟아 낸 태하는 소주잔에 든 소주를 꿀꺽 삼켰다. 유리잔과 나무 협탁이 부딪히는 소리가 공기를 짓누르는 듯 했다.

"이태하."

굳어있던 공기를 가르며 혁준은 말했다.

"그만 둬."

"뭘?"

"그만 억지로 잊으려고 하라고."

"그럼 뭘 어쩌게."

"내가 너 고등학교 동창이자 대학 선배이자 네 옆에 오래 있었던 사람으로서 그냥 말할게. 너는 모든 것을 덮어두려고만 해. 넌 힘든 일 있으면 아무 말 없이 떠나버려. 그리고는 돌아와서는 아무 일 없었다는 듯 지내는 게, 난 맞는 건지 모르겠다."

"다시 들춰봐서 뭐 해. 세상에도 없는 사람이 내 전 애인이고, 걔랑 마지막으로 했다는 것이 망할, 징그럽게 싸웠다는 거야."

"그래 나도 네 심정이 솔직히 다 이해가진 않는다. 근데 나였다면 정면을 응시했을 거라고. 걔 장례식도 갔을 거고."

태하는 아무 말 할 수 없었다. 모든 것이 사실이었다. 지레 겁먹고 도망치듯 상황을 회피하고 없었던 일 취급하는 건 여태 그가 고수했던 삶의 방식이었다. 민혜의 소식을 들은 날, 태하는 술에 잔뜩 취해 의식을 잃은 채 욕실에서 널브러진 상태로 발견되었다. 그런 태하를 발견한 것이 자취방에 놀러 온 혁준이었다. 경찰과 구급대원들이 좁은 집에 들어와 상황을 살폈다. 혁준은 태하가 얌전히 병원에 입원한 줄 알았지만, 태하는 비행기 표를 끊고 제주도로 떠나버렸다. 누구에게도 알리지 않은 채로.

- 4장

"스읍… 하…"

태하는 벽걸이 시계의 발걸음에 따라 공기를 들이켰다. 원래 같았으면 박하 향이 나는 전자담배를 피웠을 테지만, 비흡연자의 집이었기에 한숨을 깊게 쉬는 걸로 만족했다. 혁준은 술을 마시다 여자친구가 전 여자친구가 된 일에 대해 수백 번도 더 이야기하다 잠들었다. 침대를 두고 협탁 옆에서 졸다가, 집구석 한 귀퉁이에 고꾸라진 혁준을 태하는 조용히 일으켜 침대에 뉘었다.

"째깍째깍 시간은 잘도 간다."

시계는 어느새 네 시가 조금 넘는 시간을 가리키고 있었다. 그러고 보니 커튼 사이로 어스름한 새벽 빛이 들어오는 것 같기도 했다. 태하는 주섬주섬 코트를 걸쳤다. 깜빡 잠이라도 들었다가는 친구의 숙취를 해소해준답시고 아침까지 붙잡혀 학교에 가지 못할 것 같았다. 그래도 혹시나 하는 마음에 혁준의 고개를 돌려 놓았다.

"술 깨고 인문대에서 얼쩡거리면 마주칠 이별이 그렇게 쓰냐? 부러운 새끼. 고개 돌려놨으니까 토해도 큰일은 안 날 거다. 내일 깨어나면 해장국 좀 끓여 먹어. 그렇게 세 병 중에 두병 반을 네가 마시면 어떡하냐, 술도 못 마시는 게."

겨울로 넘어가는 시큰한 새벽 공기가 폐를 찔렀다. 텁텁한 담배 연기와는 또 다른 자극이었다. 태하는 핸드폰을 켜 버스가 언제 오는지 살폈다.

"5512. 오십육 분."

제법 쌀쌀한 새벽 공기에 거의 한 시간이 되도록 서 있고 싶지 않았다. 이럴 줄 알았으면 혁준이네 자취방에서 조금 더 이따 나올걸, 괜히 일찍 나왔구나 싶어쓰다. 십 삼 분 뒤에 오는 버스가 있었으나, 학교로 가는 버스가 아니었다.

"김민혜…."

잘 들리지 않을 말들을 중얼거렸다. 말소리는 입에서 나가 귀로 들어오기보다, 입천장을 두드리며 머리통으로 전해졌다. 뻐끔거리는 입 모양과 멍청하게 초점을 잃은 눈동자가 꼭 붕어새끼 같다고 생각했다.

"삼… 분."

삼 분 뒤 학교로 가지 않는 버스가 온다. 7로 시작하는 버스. 칠이면 어디더라? 보라매 지나서, 노량진, 한강대교, 노들섬, 용산역, 갈월동. 그래 이거 타고 김민혜 집에 자주도 갔다. 혼자서도 타고 둘이서도 탔던 그 버스. 태하는 버스카드를 꺼냈다. 단말기에 조조할인이라는 문자와 함께 몇 백 원 깎인 버스비가 찍혔다. 어디로 갈지는 모르지만, 7로 시작하는 그 버스를 탔다. 동전 몇 개로 떠나는 여행이라는 생각은 학교를 빠져도 될 명분이 되어주었다. 무의식에 반쯤 절여진 태하에게 그 버스란 블랙홀 같았다. 홀린 듯 버스를 탔고 2인 석에 앉았다. 푸른빛의 창은 가을 서리가 내려 한층 더 차가웠다.

얼마나 지났을까. 차가운 창문으로 아침 해가 비치기 시작했고 태하의 무의식은 저물어갔다. 민혜 집에 가까워질수록 모래를 삼킨 듯 목이 말랐다. 뜨거운 모래가 눈물을 다 머금어 버려 눈물은 흐르지 않았지만 가슴 한 켠이 텁텁했다. 3년 전 쯤 민혜는 이 버스의 안내 방송을 들으며 가방을 주섬주섬 챙겼을 것이다. 늦게 내려서 사람들에게 피해를 끼치고 싶지는 않았을 테니까. 아니, 이어폰을 자신의 생명 줄처럼 여겼던 민혜는 노래를 들으면서 눈치껏 가방을 챙겨 나갔을지도 모르겠다. 생각을 할수록 목이 아파서 눈을 세게 감았다.

- 5장

태하와 민혜가 처음 만난 건 18살이 되던 해 봄이었다. 하늘에는 하얀색 점들이 알알이 박혀있었고, 옅은 녹색이 공기를 타고 불어오고 있었다. 민혜의 교복 치마는 바람에 흔들리며 무릎을 간지럽혔다.

"야, 쟤가 이번에 편입한 애래. 일반고에서 왔다는데, 뭐 엥간히 그리니까 왔겠지."

민혜는 재빨리 이어폰을 꽂으며 못 들은 척하려 했으나 이어폰 줄은 단단히 엉켜있었다. 예술고등학교. 모든 아이들이 개성 넘쳤고, 강했다. 평범한 여고생들처럼 아이돌을 보며 열광하지도 않았고, 선생님을 따라다니는 사람은 더더욱 없었다. 가장 커다란 관심사는 자기 자신이었고, 끊임없는 시험과 평가에 이미 완벽히 적응한 기계 같기도 했다. 조용하면서 집요했고, 속을 알 수 없는 애들이 많았다. 민들레 꽃씨처럼 하늘하늘한 민혜는 어떻게 이곳에 뿌리내려야 할지 몰랐다.

민혜는 도서관에서 알 수 없는 수식들로 가득한 책을 한 권 빌렸다. 예술고등학교에서 수학이라니 정말 모를 일이라고 생각하며 뒷산 계곡으로 향했다. 어제처럼 교실에 멀뚱하게 앉아 있을 바에야 물소리 들으며 멍 때리는 게 낫다고 생각했다. 점심시간이 끝날 때까지 40여 분 정도 남은 시간이 굼벵이가 신호등을 건너 듯 가고 있었다.

계곡 앞에는 네모반듯한 평상이 있었다. 사생대회 때 그림도 그리고, 친구들끼리 삼삼오오 모여 배달음식도 시켜먹는 듯했다. 사람이 꽤 많을 줄 알았는데 급식을 빨리 먹은 탓인지 옆에 앉은 남학생 한 명이 전부였다. 민혜는 나란히 계곡을 바라보고 앉고서는 책을 폈다. 가지런한 수식을 보고 있으면 물속 부유물이 서서히 침전하듯 차분하고 맑아지는 기분이 들었다. 하지만 오늘은 옆에 앉은 남자애 탓인지 좀처럼 집중이 되지 않았다. 민혜는 아무 소리도 안 나는 이어폰 한쪽을 빼고 옆에 앉은 남자애를 힐끗 보았다. 그애는 열심히 수학 문제를 풀고 있었다. 예술고등학교에서 좀처럼 보기 힘든 광경이 민혜는 반가웠다.

"저 혹시, 너도 수학 좋아해?"

갑작스런 질문에 남자애는 당황한 듯 눈을 동그랗게 뜨고 민혜 쪽으로 고개를 돌렸다.

"너 수학 하냐고. 너 명찰 보니까 미술과인 것 같은데. 우리 수학 내신 안 들어가잖아."

"아, 그냥 내가 좋아서."

"특이한 애네. 보통 바빠서 안 하던데. 나도 수학 좋아하거든. 근데 여기 애들은 수학 안 하는 것 같더라. 수학 시간에 다 자더라고."

"근데 너 나 알아?"

당돌한 질문은 차갑다고 느껴질 정도였다. 민혜는 그런 태도에 당황했지만 왜인지 기에 눌리고 싶지 않았다.

"명찰 보니까 미술과 2학년이고, 이태하 적혀있네. 난 김민혜 야."

태하는 민혜를 찬찬히 보며 말했다.

"너 편입이지?"

"어떻게 알았어?"

"누구한테 들었어. 편입생 왔는데 이름이 김민혜라고. 온 지 얼마 안 된 것 같은데 점심시간에 계곡에도 오고. 적응 잘하나 보네."

"교실에 혼자 있기 뻘쭘하잖아. 근데 내가 잘 모르는 게 많아서 앞으로 이것저것 좀 물어봐도 되지?"

민혜는 태하에게 흐르듯 다가갔다. 그렇다고 물처럼 천천히 스민 건 아니고, 짭쪼롬한 간장처럼 짙게 배었다. 곁을 내주지 않을 것만 같던 태하였지만, 적극적인 민혜의 태도가 싫지 않았다. 계곡은 둘의 아지트가 되었고 많은 비밀을 들어주었다. 그렇게 계절이 흘러 살얼음이 끼기 시작할 무렵이었다.

"태하, 이것 좀 봐. 얼음 무늬 진짜 예쁘지?"

민혜는 하늘이 얇은 듯한 계곡 위 얼음 뒤로 쭈그려 앉으며 말했다.

"너무 가까이 가지 마. 단단해 보여도 깨질 수 있어."

민혜는 얼음에 빠져들 기세였다. 태하는 민혜 옆으로가 털썩 앉았다.

"김민혜."

태하는 다리를 쭉 뻗고 팔을 등 뒤로 젖히며 민혜를 바라보았다.

"뭔데?"

능청스러운 태하의 눈빛에 민혜는 고개를 뒤로 빼며 말했다.

"너 되게 편한 것 같아."

"우리 같이 논 지 일 년이 다 되어 가는데 갑자기?"

"그냥 그 말을 꼭 해주고 싶었어. 너랑 다니기 전에 내가 매사에 불안했거든. 나 일 년 전에 아빠가 돌아가셨어. 그래서 엄마가 나혼자 키웠거든. 엄마 고생하는 건 보기 싫은데, 그러려면 공부해서 취직하면 되는데. 내가 하는 건 죄다 뻘짓 같잖아. 실기 성적 안 나오면 더 그래서. 그래서 혼자 키운 하나 뿐인 아들이 예술을 해도 되는 건가 싶기도 하고. 내 생각과 하나라도 틀어지면 너무도 불안해지고."

태하가 말할 때면 민혜는 태하의 눈을 바라보았지만 이번은 차마 바라볼 수 없었다. 외동아들인 건 어느 정도 예측할 수 있었으나, 아버지가 일 년 전 돌아가셨다는 건 꿈에도 몰랐다. 매사에 책임감 있고 의젓한 태하의 태도를 이제야 조금 이해할 수 있었다.

"지금은 괜찮아?"

"많이."

"다행이네."

올려 본 하늘에서는 하얀 눈꽃이 흩날리고 있었다. 다시는 안 올 순간이 또다시 지나가고 있었다.

- 6장

태하는 결국 민혜네 집을 지나쳐 세 정거장 뒤에 내렸다. 내려서 마을버스를 타고 민혜와 자주 갔던 공터에 갔다. 삼 년이 지나 공터로 가는 길은 제법 낯설었다. 골목의 담벼락에는 있었던 낙서가 사라지고 없었던 낙서가 생겨났다. 바닥은 새까만 아스팔트로 뒤덮여 있었다. 딱 공터 앞까지 아주 새까맣게. 그리고 저기 끝자락에 커다랗고 뽀얀 도자기 화분이 태하를 반겼다.

"내가 제일 좋아하는 곳이야."

민혜가 처음 이곳에 데려오던 날은 까만 밤하늘에 손톱달이 떴었다. 하얀 달에 비친 공터는 제법 으스스했다.

"눈 감고 앞으로 서른다섯 걸음, 오른쪽으로 열일곱 걸음. 그리고 다시 뒤로 다섯 걸음. 그게 뭐야. 무슨 비밀 지도도 아니고. 어차피 어수선해서 아무도 안 오겠다."

"맞아, 아무도 안 와. 그래서 좋아. 그리고 이건 내 화분."

"잡초 아니야?"

"세상에 이름 없는 풀이 있겠어? 길바닥에 났다고 다 잡초라고 퉁 치던데 난 그거 싫어. 그래서 옮겨 심어줬어. 이것 봐. 단풍잎이 조그맣게 났잖아. 그리고 그 옆에는 삐죽이랑 연두. 일단 이렇게 이름 붙였어. 한 해 두 해 지나 튼튼해지면 제 이름 알아보려고."

"너도 참 너다."

민혜 옆에 나란히 앉았다. 화분은 둘 사이에 껴서 둘의 침묵을 엿들었다.

"방학 때 아프리카 갈래?"

"뭐?"

"드넓은 평야에서 꼼지락거리는 먼지가 되는 거지."

태하는 민혜의 제안이 그저 귀여웠다. 입가에 새어나가는 웃음을 참지 못하고 피식 웃었다. '그럴까?'하며 웃어 보이고 싶었지만, 다음 학기에 석조 수업까지 들으려면 재료비로 백 만 원은 필요했다. 공모전 준비에 생활비까지 내면서 그 돈 마련하기에 방학은 빠듯했다.

"나중에. 여유가 되면."

멋쩍게 웃어 보이며 태하는 말했다. 민혜는 조그마한 삽을 가져와 화분에 이름 모를 푸르름을 옮겨 심었다. 민혜의 하얀 손으로 흙을 파고 다시 덮었을 것이다. 그리곤 꼬질꼬질한 줄 이어폰을 꺼내 엉킨 줄을 풀고 노래를 들었겠지. 그것이 태하가 기억하는 민혜의 모습 중 하나였다.

태하는 천천히 화분 앞으로 다가갔다. 민혜의 분신을 마주하는 것 같아 손발에 땀이 찼다. 푸르름이 화분을 가득 메우고 있었다. 단풍잎만 끝이 붉어서 가을에 맞는 신으로 갈아 신는 것 같았고, 나머지 풀들은 여전히 여름이었다. 화분만은 푸르른 점으로 그 자리에 남아있었다. 세상에 남아 호흡하는 점. 푸르고 상큼한 것. 사람들이 지나쳐도 그 자리에 있는 것. 드넓은 좌표평면 속 깊이 뿌리내리고 태하의 심장 박동과 함께 공명하고 있었다. 태하의 앞이라는 자리에 멈춰서서 태하와 호흡하고 있었다. 주인이 놓고 간 푸르른 화분의 자리가 '적당한 지점'인지는 모른다. 내리는 비를 맞고, 드리운 구름에 쉬다가, 비치는 햇살에 웃는 화분. 온도조차 없어, 지나쳐버릴 정도로 미약한 것 같았으나, 그것은 존재하는 것만으로도 이미 따스한 것이었다. 태하에게 더 이상 억지스럽고 까슬한 보풀같은 존재가 아니었다. 태하는 따사롭고 푸르른 점 옆에서 한참을 서있었다. 지우면 지울수록 붉게 번지는, 붉은 점과 같은 민혜가 푸른 점의 형태로 태하에게 스며들고 있었다.

"잘 있어."

태하는 붉고 푸른 것들에게 인사를 건넸다.

09

관찰일기

지소윤

소설

지
소
윤

찰나의 기억은 시간이 지나면 어슴푸레 기억 속으로 잠기고 맙니다.
순간순간이 인생의 조각인데 그저 흘려보내기에는 너무 아까워요.
사라지고 말 순간들을 글로 아로새겨 보고자 합니다.
부족하고 부끄럽지만 계속 써나갈 것입니다.

관찰일기

1. 결혼

"너 대체 결혼은 언제 할래?"

오늘은 그냥 넘어가나 싶었는데 역시나 싶었다는 속마음을 감추며, 준우는 엄마의 말에 어떻게 대답할지 밥 한술을 뜨는 순간 고민했다. "혼자 살기도 힘들어, 요즘은!" 준우는 매정하게 엄마의 말을 끊고 숟가락에 한가득 뜬 밥을, 입을 일부러 더 크게 벌리고 먹었다. "그래도 이제 때가 됐는데, 결혼은 해야지. 다 때가 있어." 나무라듯 말하는 아빠의 이어지는 말에 준우는 입안에 가득 남아있는 밥알을 대강 씹으며 대답했다. "이 월급으로 어떻게 누구를 만나." 준우의 입안에는 아직 밥알이 한참 남아있는데도 다시 숟가락에 밥알을 한가득 퍼서 입에 넣고 꾸역꾸역 씹었다.

서른셋, 삼십 대 중반의 나이에 들어선 준우는 잠실 본가에 들를 때마다 부모님의 '언제 결혼할래'라는 질문을 어떻게 피해 나갈지 고민이었다. 지난해 추석 때까지는 "누나 먼저 가야죠."라고 말하며, 혼자 살아도 행복하고 진짜 좋은 사람 나타나면 결혼하겠다는 세 살 터울의 누나에게로 자연스럽게 질문의 방향을 돌렸다. 올 초부터는 서른여섯의 누나가 엄마와 문화센터를 같이 다니는 아주머니의 주선으로 마흔 살의 매형과 몇 번 만나다가, 속도위반으로 결혼하게 되면서 더 이상 그 방법은 통하지 않게 되었다. 더구나 귀여운 막내아들로서 살아오던 준우로서는 부모님이 죽고 못 사는 손주가 부모님의 품에 안겨진 순간, 막내아들로서의 자리마저 뺏긴 기분이 들었다.

울적한 기분을 달래는 데는 술만 한 것이 없다고 생각한 준우는 동창 친구들을 집 앞 호프집으로 불러냈다. 맥주 500cc를 시켜 치킨을 기다리다 보니, 금방 찬기가 도착했다. 우현도 곧 온다는 메시지를 보내왔다. 준우와 찬기는 오랜만에 만나도 어제 본 것만 같은 친구들이라 서로 눈빛만 봐도 알았다. 준우는 나랑 같은 상황이구나, 라는 생각에 동질감이 가득한 눈빛과 놀려먹겠다는 장난기 어린 표정을 지으면서, "맥주?"라고 끝을 올려 물었다. 500cc 잔에 맥주가 거품이 가득 담겨 나왔고, 찬기는 길게 휴, 하고 한숨을 한번 쉬었다.

"엄마가 선보래." 찬기는 지겹다는 표정으로 고개를 내저었다. 김이 모락모락 나는 치킨 다리를 뜯으려다, "아니. 대체 왜 결혼하라고 난리들이야? 나는 아직 준비가 안 됐다니까? 엄마 아빠가 우리 키우듯이 요즘 어떻게 내 거 아껴서 자식 먹이고 입히고 살아? 나는 그렇게 못 해. 그리고 지금 내 삶이 만족스럽다고요. 시간 되면 연애나 하면서 살면 되지 뭘 굳이 아둥바둥 살아." 준우가 중간에 동의한다는 의미로 고개를 끄덕였다. 몇 번이나 중간에 "네 말이 맞아."라고 첨언을 하려다가도 빠르게 말을 이어나가는 찬기의 말에 준우는 고갯짓만 반복했다. "엄마도 아빠도 주변 친구들이랑 비교해. 누구네 아들은 손주를 낳아서 이제 결혼식도 아니고 돌잔치까지 가야 하는데, 우리 아들은 언제 엄마한테 그런 효도를 하려나면서 말이야. 나는 진짜 왜 이렇게까지 나한테 결혼하라고 하는지 모르겠어. 나는 지금도 괜찮은데, 충분한데! 대체 무슨 문제 있는 사람으로 만드는 것 같아서 진짜. 그리고 아니 좋은 사람이 있으면 조건 안 따지고 결혼할 수도 있겠지. 그런데 그런 사람이 없다니까?!"

잠실 태생의 대부분의 90년생이 그러하듯 준우도 부모님의 든든한 지원 아래 공교육과 사교육을 번갈아 가며 받으며, 다들 이름만 들어도 아는 좋은 대학에 입학했다. 대학생 때는 외국인 친구들과 교류하는 동아리에서 회장으로 활동하며 캠퍼스를 누볐으며, 군 복무도 최전방에서 사단장 표창을 받으며 전역했고, 복학해서는 대기업에서 주최하는 대학생 해외 봉사활동, 미국으로 단기 연수까지 다녀와서 모두가 선망하는 대기업에서 인턴십을 마치고, 우수사원으로 대학 졸업과 동시에 취업함으로써 부모님에게 준우는 언제나 자랑의 대상이었다. 찬기의 말을 듣다 보니 왜 자신이 부모님에게 이런 애물단지 취급을 받아야 하나 생각했다.

"확 그냥 결혼해 버릴까, 아무나,"라고 준우가 말하는 중에 "아무나?"라는 소리가 시원한 가을바람과 함께 들어왔다. 우현이 호프집 문을 열고 들어와 호프집 소파에 앉았다. 우현은 "아무나가 누군데? 우리가 어떻게 결혼을 해. 우리 다 같이 손잡고 결국엔 요양 시설 들어가야지."라며 너스레를 떨었다. 준수는 우현을 흘겨보며 왼손으로는 세 번째 손가락을 올렸다가, 고개를 돌려 호프집 사장님에게는 오른쪽 검지를 들었다가, 500c 잔을 가리키며 맥주 한 잔을 더 주문했다. 우현이 주문하는 동안 찬기는 우현에게 "네, 다음. 님 애인 돌아가시면 실버타운 멤버로 받아줄 수 있을 것 같긴 하네요."라며 오래된 애인이 있는 우현의 말을 장난으로 되받아쳤다.

"그래. 그런데 나도 이제 결혼하라는 소리하셔. 엄마 아빠 두 분 다."라고 우현이 말했다. 찬기는 비죽거리던 표정에서 순간 미간을 찡그리며 우현을 쳐다보았다. 준우는 우현 쪽으로 두 눈썹을 치켜올리며 눈을 동그랗게 떴다. 무슨 말인지 다시 말해보라는 표정이었다. 우현은 "부모님은 아직 모르시니까."라고 심각한 표정을 짓는 친구들에게 별일 아니라는 듯 말하며, 얼음 잔에 담겨나온 차가운 맥주를 목이 타는 사람처럼 단숨에 들이켰다. "크, 시원하다. 이 장남이, 효자가! 부모님이 원하는 결혼을 해드려야 하는데, 그걸 해 드릴 수가 없네!"라고 우현이 애써 가라앉을 것 같은 분위기를 저지하는 밝은 말투로 말했다. 그러다 맥주잔을 한번 바라보고, 결심한 듯 맥주 한 모금을 더 마시더니 진지하게 어조를 바꿨다.

"너네도 알다시피 난 사랑하는 사람이랑 오래 만났고 이제 같이 살고 있잖아. 보통 결혼이랑 다를 바가 없지. 그런데 가끔은 진짜 결혼하고 싶단 생각이 들기도 해. 주변 사람들에게 축복받고, 제도로 보장도 받고… 사실 보장이라기보다 제도로써라도 내 옆에 평생 묶어두고 싶을 만큼 좋은 사람이란 소리야…. 그런데 뭐 결혼을 하고 싶다고 해서 맘대로 할 수 있겠냐? 우리가?"

준우와 찬기는 우현이 말하는 사이 단 한마디도 거들지 않고 듣기만 했다. 평소에도 중간에 말을 끊고 장난치기 일쑤인 두 사람 사이에서 말수가 적은 우현이 혼자 말한다는 것 자체가 손에 꼽을 일이었다. 우현은 자기 검열하듯이 주변을 두어 번 둘러보고, 고개를 두 번 흔들었다. 맥주 한잔에 갑자기 소주 두 병 마신 사람 같은 소리를 한다며 우현은 다시 말을 이어갔다.

"우리 둘 다 애는 낳을 일도 없고, 낳을 수도 없고. 뭐 그렇게 보면 법적으로 보장받을 것도 없긴 한데… 아, 아니다. 얼마 전에 애인이 갑자기 아파서 새벽에 응급실에 갔어. 그리고 간호사가 빨리 무슨 검사를 받아야 한대. 그러면서 나보고 관계가 어떻게 되냐는 거야. 순간 고민되더라고… 친구라고 해야 하나… 애인이라고 해야 하나… 그냥 동거인이라고 했어. 그러니까 나보고 가족은 아니시니까 진짜 환자 가족분들께 좀 전화하라더라고… 진짜 가족은 나인데…"

그렇게 말하고 있는데 우현의 휴대전화가 울렸다.

준우와 찬기는 우현의 기분을 살피며 서로 어떤 위로를 해야 할지 모르겠다는 눈빛을 주고받았다. 찬기는 오른쪽 옆에 앉은 우현의 왼쪽 어깨를 두 번 토닥였고, 준우는 아무 말도 하지 못하고 안주로 나온 고깔 뻥튀기를 손에 넣었다 끼웠다 하는 자신의 손가락만 쳐다보았다. 준우와 찬기 모두 생각에 잠긴 것 같았다. 우현이 적막을 깨고 말했다. "얘들아. 오늘 늦냐고 전화 왔어. 벌써 11시네. 망원동까지 가라면 한참 걸리겠다. 내가 계산할 테니까 좀 더 놀다 가. 조만간 또 보자!"

우현은 이제 돌아가야 할 때라는 듯 자리를 떠났다.

2. 연애

'이번 역은 망원역입니다. 내리실 문은 오른쪽입니다'라는 소리가 들리기도 전에 우현은 지하철 좌석에서 일어났다. 열차가 정차하는 순간 6-5라는 숫자가 유리창 넘어 발밑에 있는지 확인했다. 6-5칸은 문이 열리면 바로 지상으로 나갈 수 있는 에스컬레이터를 가장 빠른 동선으로 탈 수 있는 곳이었다. 이 칸에 타야만 조금이라도 빨리 우현은 자신을 기다리는 사람이 있는 집으로 갈 수 있었다. 에스컬레이터를 타고 올라와 오른편을 보면 구매자가 직접 꽃을 골라 꽃다발을 만들 수 있는 꽃집도 있었다. 우현은 특별한 일이 없어도 이 곳에서 매주 꽃을 고르고 포장해서 집으로 향하곤 했다.

"자기, 나 왔어"라고 하며 우현은 현관문을 열고 들어왔다. 우현을 반갑게 반겨줘야 할 목소리는 들리지 않았지만, 우현은 자정이 넘은 시간이니 애인이 자고 있으려니 했다. 애인은 늦게 퇴근하는 우현을 위해 항상 거실 등을 켜놓는 사람이었다. 우현이 집에 돌아오면 언제라도 반겨주고 싶다는 이유에서였다. 눈으로 애인이 어디서 잠들었는지 찾느라 거실 소파 위아래를 훑으면서 우현은 겉옷을 벗었다. 거실 소파 아래에 맥주캔이 보였다. 우현을 기다리며 마셨을 맥주캔, 우현은 피식 웃으며 꼭 이렇게 흔적을 남기지, 라고 혼잣말을 했다. 우현은 캔을 손에 들고 부엌에 있는 분리수거통으로 가져갔다.

우현이 분리수거 쓰레기통의 바닥을 밟아 캔을 버리고 돌아서자 우현의 눈에 식탁 위의 꽃병이 보였다. 꽃병에는 지난주 우현이 퇴근길에 망원역 안의 꽃집에서 직접 고른 노란 해바라기 두 송이와 진한 녹색의 유니폴라, 잎설유가 꽂혀 있었다. 우현의 애인이 우현이 선물한 꽃다발을 가지런히 정리하고, 꽃과 가장 잘 어울릴 꽃병을 골라 한 송이씩 우현을 생각하며 꽂아두었을 것이다. 우현은 그런 애인의 모습이 눈에 보이는 것 같았다. 그날도 우현의 애인은 집으로 작은 꽃다발과 함께 돌아온 우현을 두 팔을 크게 벌려 반겼다. 우현의 애인은 해바라기의 꽃말을 휴대전화 검색창에 넣고는 "일편단심이네, 꽃말이"라고 말했다. 그러고는 작은 꽃다발을 어린 아기를 안 듯 안고 꽃잎을 아기 볼 쓰다듬듯 만졌다. 우현은 그 순간을 떠올렸다. 우현은 행동에서 묻어나는 진심이 보이는 순간, 그 순간들을 기억했다. 둘이 함께 켜켜이 쌓아 올린 순간이 모여 10년이 넘었다고 생각하니 벅찬 감정마저 느껴졌다.

우현은 식탁 위의 해바라기를 바라보다 왼편 붙박이 냉장고로 눈을 돌렸다. 냉장고 문은 함께 간 여행지에서 산 마그넷 자석과 함께 찍은 사진들이 붙어 있었다. 뉴욕, 시카고, 포틀랜드, 파리, 마르세유, 엑상프로방스, 도쿄, 오사카, 교토, 방콕, 푸껫, 끄라비… 마그넷에 붙인 도시 이름들을 읊조렸다. 2018년 겨울, 눈을 맞으며 야외에서 눈을 맞으며 온천욕을 하면서 서로의 발만 나오게 찍은 필름 사진, 2017년 여름, 제부도의 까만 하늘 배경에 폭죽으로 하트를 그려 담은 즉석 사진, 2023년 크리스마스를 기념해 루돌프 모양의 머리띠와 목도리를 맞춰 두르고 찍은 셀프 스튜디오 사진, 그리고 지난주 친구 커플과 함께 종로에서 찍은 인생네컷 사진…. 사진들이 불러일으키는 추억 덕에 우현은 가장 좋은 기억으로만 시간여행을 다녀온 것만 같았다.

우현은 내려야 할 정거장을 지나친 사람처럼 정신이 번쩍 든 듯 왼쪽 손목을 한번 보았다. 사진마다 담긴 소중한 추억을 꺼내다 보니 시간은 새벽 한 시를 넘어가고 있었다. 자신을 기다리다가 잠들었을 애인에게 미안한 마음으로 안방 문을 열었다. 역시나 우현의 애인은 양말을 뒤집어 아무렇게나 벗어놓고 침대 한편에 웅크린 채 자고 있었다. 우현의 애인은 꼭 수면 양말을 신고 잠에 들곤 했다. 잠결에 양말을 한쪽 씩 뒤집어 휙 벗어던지고서는 다시 자는 사람, 우현은 애인의 잠버릇을 잘 알고 있었다. 그러고는 아침에 되면 내가 신었던 수면 양말 어디 갔냐고 하면서 졸린 눈을 비비며 한 손으로 이불 속을 더듬으리라는 것도. 우현은 뒤집힌 양말을 다시 반대로 펴면서 애인의 얼굴을 쳐다보았다. 우현의 애인이 해바라기 꽃잎을 쓰다듬듯 우현도 그렇게 애인의 얼굴을 눈으로 쓰다듬었다.

우현은 그렇게 한참 애인의 얼굴을 쳐다보다 침대 옆 테이블 위에 지난주 자신이 꽃과 함께 주었던 카드를 발견했다. 우현의 애인은 이 테이블 제일 위 칸에 우현이 자신에게 써 준 길고 짧은 편지와 카드, 아침은 꼭 챙겨 먹으라고 짧게 쓴 쪽지까지 모두 모아 두었다. 오늘은 우현이 손에 쥔 이 노란 카드를 한 번 더 읽고서는 서랍에 넣으려다 까먹을 것이다. 언제나처럼. 우현은 본인의 손에 든 카드 봉투를 열어 카드를 꺼내 읽었다.

"꼭 특별한 날이 아니더라도
이렇게 너와 함께하는 나날이
내겐 너무 소중하다는 걸 알려주고 싶어.
오늘도 내 옆에 있어 줘서 고마워.

진현을 사랑하는 마음을 가득 담아,
너의 우현이."

우현은 자신이 진현에게 쓴 몇 자 안 되는 글을 보자 왈칵 눈물을 쏟았다. 재채기처럼 갑자기 나온 눈물이라 우현은 셔츠 안으로 기침을 감추듯 고개를 숙여 소매 끝으로 눈물을 닦았다. 맥주 한 잔 마셨을 뿐인데 왜 이렇게 눈물이 나는지, 맥주 한잔에 취했나 싶어 고개를 아래로 하고 머리를 두어 번 흔들었다. 우현은 잠이 든 진현을 얼굴이 눈물 때문에 흐려지는 게 싫어 양손을 번갈아 가며 눈물을 닦았다. 그러다 옷깃이 스쳐내는 소리에 진현이 깰까, 걱정되어 화장실로 들어가 찬물로 얼굴을 닦아냈다. 그리고 정면의 거울을 쳐다보았다.

우현의 얼굴에는 분노, 두려움, 슬픔이 섞여 나타났다. 결혼을 말하는 부모님께 자신은 사랑하는 사람이 있고, 그 사람과 오랫동안 만나왔으며, 앞으로 평생 함께 살고 싶다고 말할 수 없는 데서 오는 감정이었다. 우현이 사랑하는 사람이 남자라는 사실에 부모님이 받을 충격과 우현에게 날아올 비난, 그로 인해 진현이 받을 상처는 우현이 감당하기엔 상상조차 어려운 일이었다.

우현은 진현과의 관계가 남녀 사이였다면 아무렇지 않게 받아들여질 일들이 서로가 같은 성별을 가지고 있다고 해서 달리 취급되는 것이 원망스러웠다. 왜 자신은 이렇게 다르게 태어난 것이고, 세상은 대다수와 다른 것이 왜 틀린 것이라고 말하는지 알고 싶었다. 남들처럼 사랑하고 사랑하는 이와 함께하고 싶은 것일 뿐인데, 왜 이 순수한 마음을 감추어야만 하는지 우현은 답답했다. 우현은 거울을 다시 쳐다보았고, 그 속에는 거울에 갇힌 자신이 있었다.

마치 유리 안에 갇힌 사람처럼 아무리 소리쳐도 바깥에는 아무 소리도 들리지 않는 것 같았다. 우현은 외치고 싶었다. 진현을 사랑한다고. 그러나 우현은 소리치는 대신 거울에 비친 자기 모습을 주먹으로 쾅 하고 한 번 내리쳤을 뿐이었다.

3. 우정

우현은 병원장인 아버지와 미술을 전공한 어머니 사이에서 태어났다. 하얀 피부, 준수한 외모를 갖춘 데다 유복한 환경에서 최선의 교육을 받은 우현은 좋은 성격과 지적인 능력까지 겸비했다. 남녀공학인 중학교에 다닐 때도 점심시간마다 농구하던 우현 손에는 5교시 시작 전이면 항상 포카리스웨트 같은 이온 음료가 들려있었다. 우현을 응원하는 여학생들이 순번을 정해 우현에게 음료수를 전해준 것이다. 반 대항 시합이 있는 날이면 여학생들의 응원이 우현에게만 쏠린 것도 당연한 일이었다.

남고로 진학해서도 마찬가지였다. 맞은편 여고에서도 다른 얼굴들이 등하교 때마다 학교 교문 앞에서 우현을 기다렸다. 버스 정류장에서부터 따라왔다며, 매일 아침 비타500을 쥐여주던 여학생도 있었지만, 우현은 잘 기억하지 못했다. 우현은 거의 매일 다른 얼굴로부터 선물과 함께 쪽지를 받았다. '우현에게, 선우현 오빠에게, 우현이에게, Dear 우현 등'으로 시작하는 여학생들의 관심은 우현에게 그저 매일 일어나는 일상 중 하나일 뿐이었다. 우현은 밸런타인데이, 빼빼로데이 등 온갖 데이마다 양팔 가득 선물을 받았다. 교실 문으로 들어서면 반 친구들은 부러움이 가득한 눈빛과 어깨동무를 하자는 큰 몸짓으로 우현을 반겼다. 우현은 선물을 친구들에게 나눠주면서 하얀 얼굴로 한쪽 눈을 찡긋하며 말갛게 웃을 뿐이었다.

그날은 2006년 6월 5일, 정오를 넘은 오후 12시 50분이었다. 작열하는 햇볕 아래에 운동장에는 남학생들이 거칠게 서로의 이름을 고함쳐 부르고 몸싸움하며 축구를 하고 있었다. 학교를 둘러싼 도로를 지나가는 차들의 소음과 우렁차게 울어대는 매미 소리도 공해로 느껴질 만큼 신경질적으로 소음이 큰 날이었다.

"반장! 반장! 우현!! 선우현!!!"하며 찬기가 운동장 계단에서 농구 골대 앞으로 뛰어왔다. 우현은 또 무슨 호들갑이냐는 표정으로 "왜? 아직 점심시간 10분 남았어. 매점은 좀 있다 가도 돼."라고 말했다. 우현이 한 손으로 목덜미에 흐르는 땀을 훔치고 다시 농구공을 들고 3점 슛 연습을 하려고 자세를 잡았다. 찬기는 너무 뛰어와서 숨을 헐떡거리면서도 꼭 말해야겠다는 비장한 표정으로 소리쳤다. "아니, 하. 잠깐, 야. 하, 있잖아. 아니~ 잠깐만!"이라고 말하면서 찬기는 공을 골대로 던지려는 우현의 팔을 낚아챘다. 우현은 도통 무슨 일인지 모르겠다는 표정을, 찬기를 향해 잠깐 짓고는 다시 골대를 향해 돌아서며 외쳤다. "왜~ 매점에서 피자빵은 좀 있다 사줄게. 이거 한 번만 더 연습하고."

"너, 네이트온에 이준우 추가했어?" 숨을 가쁘게 쉬며 말하던 찬기가 좀 전보다 더 낮고 작은 목소리로 우현에게 말했다. 농구공을 바닥에 튕기며 다시 3점 슛을 연습하려던 우현이 갑자기 동작을 멈췄다. 우현의 귀에 네이트온과 이준우라는 소리가 들렸을 때는 에어팟으로 노이즈 캔슬링을 한 것 같았다. 마치 주변의 다른 소리는 들리지 않고 자기가 듣고 있는 노래만 들리듯이 모든 배경의 소음이 소거된 것 같았다. "응? 뭐라고?" 이미 준우의 이름을 또렷하게 들었지만, 우현은 마치 아무것도 못 들었다는 표정을 지었다.

"이준우!! 너 준우 네이트온에 추가 했냐구!" 찬기는 다급하게 우현을 재촉했다. 애써 침착하려는 목소리로 우현은 곧 5교시 시작종이 치겠다며, 매점은 5교시 마치고 쉬는 시간에 가자고 했다.

"다음 카페. 90년생. 친구 모임."

찬기가 큰 결심을 하듯 세 단어를 내뱉었다. 우현은 그 자리에 서서 찬기를 빤히 쳐다보았다. 잠깐이지만 긴 정적이었다. 서로 말 없이 쳐다보는 중에 5교시 시작종이 울렸다. 축구하던 친구들이 우르르 물소 떼같이 교실을 향해 뛰어갔지만, 우현과 찬기는 교실로 돌아가지 않았다. 갑자기 뜨겁게 내리쬐던 태양이 비구름에 가려졌고, 굵은 빗방울이 후드득 떨어졌다.

"계단으로 가자, 일단." 우현은 찬기에게 말하며 앞서 걸었다. 우현은 찬기보다 한두 발 앞서 걸었지만 쏟아지는 비를 피하는 사람처럼 서두르지는 않았다. 슬레이트로 된 가림막이 설치된 계단

아래로 걸어가면서 우현은 고민했다. 무슨 말을 어디부터 해야 하는지. 이미 찬기가 상황을 다 알고 물어보는 것일지, 우현을 의심하는 것인지, 인정해야 할지, 부인해야 할지, 인정한다면 찬기는 우현을 어떻게 생각할지 등 여러 가지 생각을 오십 미터 남짓 거리를 걷는 시간보다 곱절로 생각했다.

우현과 찬기가 운동장을 바라보며 나란히 섰다. 슬레이트 지붕 위로 떨어지는 빗소리는 우현에게 교실 앞에 걸려있는 큰 원형 시계 초침이 떨어지는 소리처럼 느껴졌다. 빗소리가 찬기의 질문에 어서 답하라고 재촉하는 듯했다. 그래도 우현은 어떻게 말해야 할지 어찌할 줄 몰랐다. 구름이 가득 낀 하늘의 무게를 짊어진 것 같은 표정으로 하늘을 올려다보았다 땅을 내려다보았다. 운동장의 모랫바닥에 고인 흙탕물이 원을 그리며 더 커지는 모습을 보면서 우현은 관자놀이를 검지로 돌리다가 결심한 듯 찬기를 쳐다보았다. 그래도 입이 떨어지지 않는다는 듯이 우현은 찬기를 쳐다보려다 다시 앞으로 시선을 돌리길 반복했다.

"너도 이쪽이야?" 찬기는 더 이상 이 침묵할 수 없다는 듯 우현을 자기 쪽으로 돌려세우고 물었다. 우현은 애써 침착한 표정을 지으며 찬기를 쳐다보며 말했다. "응…. 너는 어떻게 알게 된 거야?" "나도. 이쪽이니까 알지. 준우가 너 아냐고 물어봤어. 걔 내 친구야. 얼마나 놀랐는지 알아? 우현이라고 해서 설마 너일까 싶었는데, 아니 사진을 봤는데 너였어. 언제부터 알았어? 카페 가입은 언제 했는데? 준우랑은 실제로 만났고?"라며 좀 전까지 내던 진지한 목소리보다는 조금 밝은 말했다.

"아마 중1 때부터? 내가 자각하기로는. 계속 부정하려고 했었던 것 같아. 그런데 이제 고2가 되니까 내 자신을 좀 받아들이게 된 것 같아. 그리고 나서는 비슷한 친구들을 사귀고 싶다고 생각하게 됐고… 그런데 나를 드러낼 자신은 없고 해서 아직 모임은 못 나갔고…. 모임장만 메신저에 추가한 거지. 그게 준우야."라고 우현이 답했다. 찬기는 "그러면 이번 주말에 모임 같이 나가자. 홍대래."라고 말했고, 우현은 그러자고 대답했다.

우현은 다시 하늘을 바라보았다. 여전히 하늘은 먹구름이 가득 낀 그대로였고, 여름비는 줄기차게 내렸다. 조금 전에는 우현에게 시계 초침이 떨어지는 것처럼 따갑게 느껴지던 빗줄기가 갑자기 물뿌리개에서 포물선을 그리며 뿜어져 나오던 물처럼 시원하게 보였다. 우현은 1교시 시작 전 주번이었던 우현과 찬기가 물뿌리개에 시원한 물을 채워 화단에 물을 주었을 때를 떠올렸다. 뜨거운 지열에 흐물흐물해져 보이기까지 하는 해바라기 꽃대들이 물을 뿌리자 다시 힘을 찾기 시작한 듯 서서히 곧게 섰다. 우현은 찬기와 서 있는 슬레이트 지붕 아래의 계단이 화단처럼 느껴졌다. 마치 해바라기인 우현과 찬기에게 하늘이 물을 주는 것만 같았다. 비를 내려 줄 테니 해바라기 꽃대처럼 시들더라도 언제든 굳건하게 다시 서라고 말하는 것 같았다.

4. 추억

사법시험 폐지의 찬반 논란으로 한창 뜨거웠던 2009년 우현은 대학에 진학했다. 하필 우현이 입학할 때가 처음으로 법학과가 폐지되고 로스쿨이 생긴 시기였고, 우현은 법학과가 없어져 자율전공학부로 입학했다. 여러 학문을 자유롭게 일 년간 경험하고 2학년부터 전공을 정할 수 있도록 만든 학부이니 우현은 이때만큼은 학부 이름처럼 자유롭게 지내겠다고 결심했다. 부모님이 바라는 대로 우현은 변호사, 동생은 의사가 되는 것이 당연시되던 집안 분위기에 우현은 2학년이 되는 때부터 사법시험이나 로스쿨 진학 준비를 해야겠다고 생각했다. 사법시험이 폐지가 10년 정도 유예된 것처럼 우현은 스스로에게 1년간 유예 기간을 주기로 한 것이다.

우현은 학과에서 친해진 친구들과 매일 어울려 다니며 피시방에서 스타크래프트 게임을 하며 밤을 새우기도 했고, 클럽에 가서 술을 진탕 마시고 나서 동기네 자취방에서 잠이 들기도 했다. 그런 생활을 반복하다 보니 한 달이란 시간은 훌쩍 지나갔다. 그래도 로스쿨 진학을 대비해 학점 관리는 해둬야 하니 수업은 빠지지 말자는 생각으로 수업은 꼬박꼬박 나가던 참이었다. 캠퍼스에서 맞이하는 4월은 햇살이 따스하긴 했지만 약간은 쌀쌀한 바람이 불어 들뜬 마음을 가라앉혀 주는 것 같았다. 우현은 캠퍼스 중앙을 가로질러 수업이 있는 법학관으로 향했다.

날씨가 따뜻해지자, 캠퍼스 중앙에 위치한 학생회관 앞 광장에는 교내 동아리에서 제각각 부스를 마련하여 신입생을 모집하고 있었다. 배트와 글로브, 팀복까지 맞춰 입고 나온 야구 동아리의 사람들, 등나무 아래 벤치에 앉아 기타 줄을 튕기며 음을 조율하던 두 사람, 우현은 사람들을 구경하면서 발걸음을 천천히 옮기면서 '합 평', 두 글자만이 흰 바탕에 검정 매직으로 써진 패널을 보았다. 사실 그 뒤 접이식 의자에 앉아, 부는 바람에 흩날리는 머리칼을 귀 뒤로 넘기며 책을 읽던 한 사람을 먼저 보았다. 그리고 저 사람도 '이쪽'일까 생각하며, 그에게서 천천히 시선을 옮기며 지나쳤다.

　오전 11시 30분, 우현은 법학관 정문에 도착했다. 오후 12시에 시작되는 민법 총칙 수업을 수강하기 위해서였다. 민법 총칙 수업은 점심시간이기도 하고, 사시를 준비하던 법대생들이 로스쿨 진학을 대비하여 전보다 더 좋은 학점으로 갱신하기 위해 재수강하는 과목이었다. 이 때문에 우현의 동기들은 수강을 꺼렸다. 그래서 우현은 혼자 맨 뒤 자리에서 조용히 수업만 들었는데, 그마저도 거의 매일 술에 취해 비몽사몽이라 계단식 교실 앞에 앉아 있는 뒤통수들이 까만 초콜릿 모자를 쓴 버섯 과자처럼 보인 순간이 한두 번이 아니었다.

　12시. 어김없이 교수님은 정시에 나타나 출석 체크를 했다. 학년, 가나다순으로 정리된 이름에서 어차피 유일한 1학년인 우현의 이름은 마지막에 불릴 것이라 별생각 없이 앞을 보고 있었다. 사람들의 이름이 불리고, "한진현. 한진현 학생 안 왔어?" 교수님이 두 어 번 불렀을 때 "아, 네! 여기 있어요"라면서 강의실에 들어오는 사람에게 시선이 쏠렸다.

아까 그 사람이다. 우현은 부는 바람에 머리를 넘기며 책을 읽 던 그 사람이 이 수업에 있었다고 생각하니, 지난 한 달간 술만 마 셨던 시간이 어쩐지 아깝게 느껴졌다. 조용히 맨 뒷자리, 그리고 우현의 옆자리에 앉는 진현에게서 우현은 눈을 떼지 못하다가, 혼 자 흠칫 놀라 진현에게서 시선을 거두었다. 그리고 곁눈질로 진현 을 바라보다, 진현이 꺼낸 수업 책에 눈이 갔다. 딱딱한 <민법 총 칙>이라는 책 표지 아래 오른쪽에는 '법학과 2008101062 한진 현'이라고 적혀있었다. 아까 보았던 '합 평'의 패널 글씨와 똑같아 서 왠지 모르게 우현은 웃음이 났다.

1시간 15분의 수업 내내 우현은 진현이 어떤 사람인지 궁금해 서 수업에 집중할 수 없었다. 이름을 안 순간부터 싸이월드에 이름 을 넣어서 찾아보고, 페이스북에 들어가서 공통된 친구가 있는지 찾아보기도 했다. 조금 고민하다 이쪽 사람들만 쓰는 데이팅 어플 에도 들어가 주변에 있는 친구 중에 이 사람 얼굴이 있는지 찾아 보기도 했지만, 진현의 이름은 찾기 어려웠다. 아쉬운 마음이 들었 지만, 한 학기 동안 수업에서 볼 사이니까 우현은 더 욕심내지 않 기로 했다.

수업을 마치고 우현이 집에 가려고 일어나던 순간 진현이 말을 걸었다. "1학년이죠? 아까 중앙 광장 지나가는 거 봤어요. 혹시 동아리 관심 있어요?" 우현은 관심이 없더라도 관심이 있다고 말할 것이었지만 우현은 애써 아무렇지 않은 듯 말했다. "아? 그러셨어요? 동아리요? 글쎄요? 형은, 형 맞죠? 형이라고 불러도 되죠?" 진현은 자신을 08학번 한진현, 법학과의 마지막 새내기라고 소개하면서 빠른 90이라며 편하게 형이라고 부르든지 이름을 부르든지 편할 대로 부르라고 했다. 그렇게 우현과 진현은 처음 만났고, 직감적으로 서로를 알아보았다. 우현은 진현이 속한 '합평'이라는 동아리에 들어가 사람들과 함께 인권에 관한 글을 읽고 토론했다. 합평은 성차별, 장애 차별 등 차별 분야, 아동 청소년 인권 분야, 북한 인권 분야 등 인권의 다양한 분야에 대해 함께 고민하는 곳이었다.

우현은 진현과 함께 합평의 사람들과 토론하며 연대하는 경험으로 한 해를 보냈다. 특히 그 해는 늘어나는 외국인 노동자의 유입과 기존 인구와의 갈등이 사회적 문제로 대두되는 시기였다. 합평의 사람들은 외국인 노동자의 인권을 함께 공부하고 토론했고, 외국인 노동자의 인권을 지지하는 활동을 이어나갔다. 그리고 안산시가 전국 최초로 다문화특구로 지정되자 합평의 사람들은 본인들의 활동에 대한 확신을 가지고, 더욱 소수자의 인권에 대한 활동을 이어나가고자 했다. 우현과 진현 사이도 사랑의 감정을 넘은 끈끈한 동료의식이 있었다. 이듬해 진현이 입영통지서를 받을 때도 진현은 우현에게 자신이 없는 동안 합평을 잘 이끌어달라고 말했다.

진현이 입대하고 얼마 지나지 않아 합평에도 신입 동아리원들이 몇 명 들어왔다. 그리고 기억 남는 자기소개를 듣게 되었다.

"윤아현입니다. 동아리 내 여러분과 중에서도 차별 분야에서 활동하고 싶습니다. 특히, 성 소수자 차별 문제를 좀 더 알고 싶어요! 저는 완전한 이성애자이고, 단 한 번도 여자한테 끌려 본 적이 없고, 지금까지 좋아하는 사람들도 다 남자였어요. 그런데 왜 이 분야를 다루고 싶냐면, 잘 몰라서 궁금하기도 하고요. 또 미안해서요. 사회를 구성하는 한 사람으로서 성 소수자에게 사회가 행사하는 폭력을 저지하지 못하는 데서 오는 부채감이랄까요? 좀 제대로 알아야 더 잘 지지할 수 있을 것 같습니다."

우현은 아현의 솔직한 태도가 좋았다. 합평은 모든 인권에 대해 말하는 동아리로 성 소수자만을 위한 동아리는 아니었다. 그런데 우현이 말할 수 없는 부분을 아현이 당당하고 담백한 어조로 말해 주니 자기 말을 대신해 주는 것 같아 고마웠다. 우현은 동아리 신입생 중에서도 아현과 더 많은 이야기를 나누었고, 서로 좋아하는 책과 음악과 같이 취향을 보여주는 것들을 선물하기도 하면서 우정을 쌓아갔다. 동아리 사람들 사이에서는 우현과 아현은 현현 남매라고 불릴만큼 남들이 보기에도 가까운 사이가 되었다.

진현의 100일 휴가가 얼마 남지 않은 5월의 어느 날이었다. 동아리방에서 나란히 소파에 앉아 함께 커피를 마시며 발제 준비를 하던 중이었다. 아현이 우현에게 뜬금없이 질문을 했다. "선배는 왜 누구 안 만나요? 좋아하는 사람 없어요?" 우현은 순간 당황한 기색을 감추고자 커피 한 모금을 마셨다. 곁눈질로 슬쩍 본 아현의 눈에서 우현은 자신이 진현을 바라보는 것 같은 눈빛을 읽었다. 우현은 아현에게 상처를 주고 싶지도 않았고, 좋은 친구인 아현은 잃고 싶지도 않았기 때문에 솔직해져야 한다고 생각했다. 더구나 아현 정도라면 우현의 성 지향성을 아무렇지 않게 받아들일 것이었다. 그런데도 우현은 입이 떨어지지 않았다.

"나 여자 친구 있어." 우현은 아무렇지 않게 툭 내뱉어 버리고 나서 속으로 만나는 사람도 있어도 아니고. 여자 친구가 있다니. 또 방어기제가 발동해 버렸나 생각했다. 뱉어버린 말을 주워 담을 수가 없어 우현은 후회했지만 번복할 수 없었다. "아… 그래요? 누구? 우리 학교? 한 번도 못 본 거 같은데… 그럼, 아, 선배. 제가 실수했다면 미안해요. 수업 곧 시작하겠다. 먼저 가볼게요."라고 하면서 아현은 발제 준비를 위해 펴두었던 노트와 펜을 급히 챙겨 떠났다. 좀 전에는 공강이라면서 우현의 옆에서 드립백 커피에 뜨거운 물을 천천히 붓던 아현이었다. 우현은 왜 또 자신을 숨겼는지, 자신이 좋아하고 신뢰하는 친구인 아현에게도 솔직해지지 못한 자신이 답답했다.

그렇게 며칠이 지난 후 아현은 곧 있을 5월 17일, 국제 성소수자 혐오 반대의 날인 아이다호 데이 20주년을 맞이하여 시청 앞에서 열리는 행사에 참여하겠다고 했다. 아현은 행사 후에, 캠퍼스에서 인권 증진 포스터를 만들어 함께 나누어 줄 동아리원들을 모집하면서 우현에게도 같이 가자고 했다. 어색했던 지난 며칠 동안

아현은 다시 예전 관계로 돌아가기 위해 평소처럼 웃으며 물어봤지만, 우현은 그날은 어려울 것 같다고 거절했다. 아현의 얼굴에서 아쉬움이 묻어났지만, 우현은 이번에도 어쩔 수 없었다. 혹여 그 행사에서 '이쪽'의 아는 사람을 마주친다거나, 행사에 참여한 모습이 카메라에 찍혀 뉴스에 나와서 부모님 지인이라도 보게 될까 봐 두려웠다. 그 누군가가 자기 모습을 볼 수 있다고 생각하니 괜히 어깨가 위축되는 것 같았다. 물론 그럴 확률이 로또에 당첨될 확률보다 낮을 것이란 것도 알지만 괜스레 겁이 났다. 그리고 무엇보다도 중요한 것은 그날은 진현의 첫 휴가였다.

2010년 5월 17일, 캠퍼스는 나뭇잎이 봄바람에 흔들리는 나무 사이로 초록 물결이 일렁였고, 나무 사이로 밝은 햇살이 내리쬐고 있었다. 우현은 캠퍼스 중앙의 등나무 아래 벤치 앉아서 진현을 기다렸다. 만나면 무엇부터 얘길 해야 할까, 우현은 발표 연습하듯 진현에게 할 말을 혼자서 연습했다.

형 보고 싶었어요. 이건 처음부터 너무 앞서나간 것 같다. 형, 잘 지냈어요? 제 인터넷 편지는 잘 받아봤어요? 훈련소 사진요. 그 여러 명 있는 사진에서도 전 형 얼굴 바로 찾았잖아요. 머리 짧은 것도 잘 어울려요. 오늘 할 말이 있어서 보자고 했어요. 그날 형이 처음 나무 아래 의자에 앉아 있던 그날부터 좋아한 거 같아요. 형은 저를 어떻게 생각해요? 아… 고백하긴 너무 이른가? 그럼, 뭐부터 말해야 하지? 그냥 좋은데, 좋아하는데, 우리 사귈래요라고 할까?

우현이 나지막히 혼잣말을 했다. 따스하고 시원한 봄바람이 귓가에 붙었다. 한 번 더 목청을 가다듬고 진현에게 할 말을 연습하려는데, 등 뒤에서 "응. 그러자."라고 하는 목소리가 들렸다. 바람 소리를 타고 오는 소리에 우현은 깜짝 놀라 뒤를 돌아보았다. 진현이었다. 진현이 까까머리인 머리를 만지며, "그러자!"라고 웃으면서 다시 말했다. 우현은 놀란 눈으로 진현을 바라보았다. 진현도 우현을 지긋이 바라보며 "나도 너를 처음부터 좋아했어."라고 말했다. 진현과 우현은 서로를 바라보며 살며시 웃었다. 우현은 혼자 연습했던 모습을 들켰다고 생각하니 얼굴이 붉어졌다. 우현이 붉은 얼굴을 숨기려 진현에게서 등을 돌려 벤치에 앉자, 진현도 우현을 따라 우현이 앉은 방향으로 앉았다. 두 사람은 나란히 벤치에 앉아 같은 풍경을 바라보았다. 봄바람이 또 한 번 살랑 불어 왔다. 우현의 왼손 위로 진현의 오른손이 살포시 포개졌다.

5. 현실

2024년 3월, 진현은 일기장을 폈다. 하루하루를 어떤 방식으로든 기억하고 싶어 진현은 어릴 적부터 일기를 썼다. 바쁘거나 아플 때는 며칠이 지나서라도 다시 일기장을 피고 기억을 더듬어 일기를 쓴 이유도 나날을 잊지 않기 위해서였다. 그런데 올해는 3월이 되어서야 일기장을 폈다. 일기장은 2023년 12월 24일을 끝으로 비어 있었다. 우현과 마지막으로 다툰 날 이후로 진현은 일기장을 펼치지 않았다.

　지난 십여 년의 시간 동안 우현과 진현은 사소한 다툼으로 며칠간 연락을 하지 않을 때도 있었고, 동거를 시작하고 전세 만기로 세 번의 이사를 하는 육 년간의 시간 동안에도 서로의 관계를 다시 생각하는 시간을 갖자고 하고 둘은 몇 주씩 떨어져 지내기도 했다. 그동안 각자 친구들과 함께 클럽도 가고, 해외여행을 다녀오기도 했지만 결국 진현과 우현은 다시 둘만의 집으로 돌아왔다. 떨어져 있는 동안 서로의 존재가 얼마나 중요한지 다시 확인했고, 싸움 후의 둘의 관계는 항상 더 단단해졌다.

　그런데 이번 헤어짐은 이전의 것들과는 달랐다. 지난해 크리스마스이브, 진현은 아들 얼굴을 잊어버리겠다는 부모님의 서운함이 묻어나는 문자에 부모님이 초대한 식사 자리에 나갔다. 평소 진현이 부모님과 자주 가던 회사 근처의 한 호텔 내 일식집이었다. 식사 자리에는 부모님이 아닌 젊은 여자가 혼자 앉아 있었다. 문을 잘 못 열고 들어간 줄 알고, 진현은 고개를 숙여 죄송하다는 인사를 하며 나오려는데 그녀가 말했다. "진현 씨?"

　진현은 자신의 이름을 또렷하게 부르는 목소리에, 닫으려던 문을 붙잡고 그녀의 얼굴을 쳐다보았다. "유경이예요!" 회계법인을 운영하는 진현 아버지의 오랜 거래처 유경건설 사장의 딸이었다. 진현은 아차 싶었다. 부모님이 벌인 일이라는 걸 안 것이다. 순간 짜증이 났지만, 아버지의 체면을 생각해 내려가는 입꼬리를 억지로 올렸다. "제가 이런 자리인 줄 모르고 나왔어요. 실례했습니다."

진현은 소송 수임 전 의뢰인을 상담한다는 마음으로 유경을 대했다. 진현은 클라리넷을 전공하며 구김살 없이 말하는 유경을 보며, 부잣집 막내딸의 전형은 다 갖추었다고 생각하면서 이 시간이 어서 지나가기만을 바랐다. 크리스마스이브는 항상 우현과 보낸 진현이기에 가족 식사만 빨리하고 집에 가겠다고 우현에게 말했는데, 코스 요리가 서빙되는 동안 이미 시간은 저녁 여덟 시가 넘어가고 있었다. 식사를 마치고 서초동인 유경의 집까지 데려다주는데 길이 막혀 한 시간이 걸렸다. 그리고 다시 우현이 기다리는 망원동 집까지 돌아오는 데는 한 시간 반이 걸렸다. 진현이 지나는 모든 길목의 대교에는 차들이 꼬리에 꼬리를 물고 멈춰 있었다. 크리스마스 장식으로 거리는 밝은 불빛으로 가득 차 들뜬 분위기였지만, 대교 위에서 진현은 까만 강물 아래로 가라앉는 것만 같았다. 그리고 자정이 다 되어서야 진현은 집에 도착했다.

　　"많이 늦었네. 부모님이랑 시간이 이렇게 길어질 수 있어?"라고 우현이 입을 삐죽이며 말했다. 진현은 "그러게, 미안해, 오늘따라 길이 너무 막혔어."라고 평소답지 않게 건조한 말투로 말했다. "나는 자기가 저녁만 먹고 온다고 해서 이렇게 다 준비해 놓았는데…. 좀 일찍 오지." "응, 미안해. 오늘은 너무 지친다. 나 좀 먼저 씻을게."

　　평소보다 건조한 진현의 말투에 우현은 마음이 상했지만 피곤해서 그러려니 생각하면서 이해하려고 했다. 우현은 진현이 좋아하는 딸기 생크림 케이크와 빨간 체크 커플 잠옷도 준비했는데, 진현이 우현 쪽으로는 눈길도 주지 않고 바로 욕실로 향하자 못내 서운했다. 그래도 진현이 씻고 나와서 이 잠옷을 보면 좋아하겠지 하면서 우현은 가지런히 체크무늬 카라가 잘 보이게 잠옷을 두 번 접어 욕실 앞에 가져다 두었다. 그리고 진현이 늘 그렇듯 허물 벗 듯 벗고 간 양말과 옷가지를 주워 정리했다. 그때 진현의 휴대전화 알람이 울렸다.

우현은 옷가지 사이에 있던 진현의 휴대전화를 들어 액정을 보았다. 화면에는 밝게 웃는 여자의 얼굴과 그 얼굴 옆으로 메시지가 떠 있었다.

"오늘 즐거운 시간이었어요. 잘 도착하셨죠? 다음 주에 시향이랑 합주가 있는데, 제 솔로 세션도 있어요. 초대장 드릴 테니까 가족분들이랑 꼭 같이 오세요~♡"

우현은 미간을 찌푸렸다가, 눈을 꼭 감았다 다시 떴다. 그리고 화면을 뚫어지게 보았다. 지난번 그 여자인 게 분명했다. 우현은 진현이 샤워를 마치고 나오자 차갑게 내려앉은 목소리로 물었다.

"오늘 가족 식사라고 하지 않았어? 이 여자도 형 가족이야? 미리 말만 하라고 했잖아. 지난번 일본 여행, 걔지?"

진현이 유경을 처음 만났던 때는 지난 추석이었다. 골프를 즐기는 진현의 부모님이 구마모토에 새로 생긴 골프장에 가고 싶다고 하여, 부모님 댁에서 나와 사는 진현이 효도하고자 하는 마음에서 함께 한 여행이었다. 진현은 골프에 관심이 없어 객실에서 쉬다가 저녁 시간에 라운딩을 끝낸 부모님과 만나기로 했고, 그 저녁 식사 자리에서 유경을 처음 보았다. 진현의 부모님과 유경의 부모님이 서로의 자제가 마음에 들어 만든 자리였다. 진현은 전혀 몰랐다. 처음에는 우연인 줄 알았지만, 식사 때마다 다 같이 함께하며 은연중에 결혼을 말하는 양쪽의 부모님이 불편해지기 시작했다. 한국이었다면 어떤 핑계를 대서라도 피했을 자리인데, 진현에게 타국에서 사방이 초록 풀인 골프장이 딸린, 절벽 위의 리조트는 죄수를 가둬두는 감옥과 같았다.

그러고 나서 세 달여 만에 진현은 다시 유경을 만나게 된 것이다. 이번에도 진현은 순진하게 속았다. 부모님과의 일본 여행 때 유경네 가족과 함께 시간을 보낸 것은 우현에게 말하지 않았다. 진현은 우현의 마음을 상하게 하고 싶지 않았다. 진현은 우현이 없는 여행은 재미가 없다며 보고 싶다는 메시지만 보냈다. 여행을 다녀와서 진현의 부모님은 시시때때로 유경과의 만남을 종용했고, 진현은 부모님과의 연락을 바쁘다는 핑계를 대며 만남을 피했다. 평소 부모님과 사이가 좋던 진현이 부모님과의 연락이 뜸해지자, 우현은 무슨 일인지 물었고, 진현은 그제야 지난 일본 여행의 일을 우현에게 말했다.

"형, 그런 일은 미리 말해줘. 나 솔직히 기분 나쁜데 이해는 해. 나도 우리 부모님이 선보라고 하는데 매번 거절하기 힘드니까. 그래도 나 뒤늦게 알고 바보 같아지는 느낌은 진짜 싫어. 다음부터는 꼭 미리 말해." 우현의 말에 진현은 알겠다고 답했었다.

진현은 발밑에 있는 빨간 체크무늬 잠옷을 보지 못하고 잠옷 한쪽을 밟고 와서는 우현의 손에 있던 휴대전화를 빼앗아 들었다.

"왜 핸드폰을 보고 그래. 오늘 부모님 식사 자리인 줄 알았는데, 가보니까 이 여자가 있었어. 그런데 어떡해. 부모님 아는 사람 딸인데, 그냥 두고 나올 수가 없었어."

"그럼, 미리 연락했었어야지. 지난번에 말했잖아. 미리 말만 하라고. 나는 형만 기다리고 있었는데, 나는 생각도 안 났어? 그리고 이 여자, 형네 부모님이 마음에 들어서 계속 만나보라는 그 여자잖아. 이제 부모님이 이 여자랑 결혼하라고 하면 그냥 하겠어, 안 그래? 어?"

"아니야. 그럴 리가 없잖아. 왜 그래."

"나는 부모님이 결혼하라는 압박 없는 줄 알아? 형만 힘든 거 아니야. 나는 아빠가 결혼정보회사에 등록시켜 놓기까지 했어. 나도 온갖 핑계를 대면서 피하는데, 형은 왜 노력도 안 해? 왜 사람을 불안하게 만들어?"

진현은 시간도 늦었으니 자고 일어나서 다시 얘기하자며 우현을 달랬다. 우현은 원망 섞인 눈으로 진현을 빤히 쳐다보다 침실로 들어갔다. 진현은 이런저런 생각으로 잠을 설치다 소파에서 깜박 잠들었다. 거실 창문으로 햇볕이 들어오자, 눈가를 찌푸리며 벌떡 일어난 진현은 우현을 불렀다. 우현의 대답은 들리지 않았다. 어제 우현이 준비한 딸기 생크림 케이크가 탁자 위에서 녹아내리고 있었다. 진현은 우현을 깨우러 침실로 가는 길에 한쪽 귀퉁이만 밝혀 구겨진 빨간 체크무늬 잠옷이 널브러져 있는 것을 보았다. 진현은 잠옷을 주워 안고 방 안으로 들어갔다. 그곳에도 우현은 없었다. 다시 거실로 나와 휴대전화로 찾아 우현에게 전화했지만, 우현은 받지 않았다.

진현은 이렇게 사소한 오해로 헤어질 사이는 아니라고 생각했다. 이전과 같이 며칠 지나지 않아 우현은 돌아오고 둘 사이는 더 견고해질 것이라 믿었다. 조금 시간이 지나면 다시 원래대로 돌아갈 것으로 생각했고, 기다렸다. 그렇게 이 주가 지나고 새해가 되자 진현은 불안해졌다. 우현에게 만나자는 문자를 보냈지만, 우현은 답이 없었다. 진현은 우현의 회사 앞으로 찾아가 무작정 기다렸다. 진현은 온몸의 뼈가 시리게 추웠지만 퇴근하는 우현을 기다리는 것 말고는 할 수 있는 게 없었다.

진현이 버석한 얼굴을 손으로 두어 번 쓸어내리자, 우현이 눈앞을 지나갔다. 진현은 우현의 팔을 잡았다. "얘기 좀 하자, 제발." 우현은 더 이상 우리 사이가 예전 같지 않다고 말했다. 매번 숨겨야 하는 사이, 어디선가 무너져 내리고 있는 관계에서 우리가 무엇을 할 수 있는지 모르겠다고 했다. 그리고 이제 우리가 함께 지내온 시간보다 더 오래 함께하려면 결단을 내려야 한다고 했다. "형은 부모님께 말할 자신 있어? 자신 없으면 지금이라도 그만둬. 난 이렇게 더는 안 되겠어."

단호한 우현의 태도에 진현은 한마디 대꾸도 하지 못하고 집으로 돌아왔다. 우현이 없는 집에서 진현은 일기장을 펼쳤다. 펜을 들었다 놓았다. 복잡한 마음을 일기장에라도 써야 할 것 같았다. 하지만 무슨 말부터 써야 할지 몰랐다. 펜을 들었다 놓았다 반복했다. 일기장에는 한 글자도 쓰지 못했다. 다시 펜을 들어 올렸지만, 점 하나를 찍고서는 다시 내려놓았다. 어쩔 수 없이 진현은 일기장을 덮었다. 우현이 돌아오는 날이 되면 다시 일상을 써 내려갈 수 있을 것 같았다. 그날이 오기를 기다리는 수밖에. 진현은 한참을 멍하니 앉아 있었다.

10

사랑의 기록

HO

에세이

솔직한 사람이 되고 싶어 글을 썼다. 내 마음이 무엇을 원하는지, 무엇이 부족한지, 무엇을 사랑하는지 알기 위해, 마음의 목소리를 듣기 위해 글을 쓴다. 이 글을 쓰며 처음으로 마음의 목소리에 귀 기울일 수 있게 되었다.

20대 중반. 삶을 돌아보기에는 아직 많이 어린 것 같다. 하지만 20년이 조금 넘은 시간 동안에도 충분히 기억에 남는 경험들이 있었고, 사람들이 있었다. 그것들을 기록해 남겨 놓고자 한다. 시간이 지나 이 글을 읽는다면, 분명 부끄럽고 쪽팔리겠지만 조금은 그리웠으면 좋겠다.

사랑의 기록

　사랑. 글을 쓰면서 제일 다루기 싫었던 소재였다. 대체 사랑이
란 무엇일까? 살아온 기간이 그리 길다고는 말하지 못할 24년. 내
가 알고 있는 사랑은 대체 무엇이었을까? 아직 나는 명확한 답을
찾아내지 못했다. 사랑이 무엇이라 했는지 조금 찾아보니, 어떤 가
수는 상대가 밤에 잘 자길 바라는 마음을 사랑이라고 했다고 한다.
좋은 뜻이지만 아직도 마음에 와닿지는 않는다.

　나는 무엇을 사랑할까? 우선 나는 나를 사랑하는 것 같고, 가족
모두를 사랑한다. 농구를 사랑하며, 쉬는 날과 음식을 사랑한다.
사랑하는 것들은 한없이 나열할 수 있지만, 사랑이 무엇인지는 정
확히 모르겠다. 글을 쓰다 보니 내가 정말 누군가를 사랑해본 적이
있는지 의문이 든다. 이것이 내가 사랑에 대한 글을 쓸 수 없었던
이유인 것 같다. 사랑이 정확히 무엇인지 잘 몰랐기에, 사랑에 대

한 글을 쓸 수 없었다.

처음에는 그저 관계에 대한 글을 쓰려고 했다. 새 학기가 시작된 봄의 어느 날, 대학교 조별활동이 처음으로 진행된 그 강의실 안에서 문득 깨달았다. 내 성격이 많이 변했다는 사실을 말이다. 눈이 반쯤 감긴 채로 강의실에 도착한 시간은 8시 59분. 겨우 강의실에 들어가 자리를 잡는다. 뒤에서 세 번째 줄에 앉아 가방에서 태블릿 PC를 꺼낸다. 세 명이 앉도록 준비된 직사각형의 책상과 세 개의 의자, 나는 보란 듯이 왼쪽 맨 끝과 중앙 두 자리를 차지하고 앉았다. 제발 내 오른쪽에는 앉지 말아 달라는 듯. 사람을 싫어하지는 않는데, 왜 이렇게 혼자 있고 싶은지 모르겠다.

그런 내 마음을 아는지 모르는지 교수님께서는 학기말 발표를 위한 조를 짜오셨다. 내가 속한 조는 1조였다. "1조 손 들어보세요"라는 교수님의 말씀에 손을 들어 서로의 얼굴을 확인했다. 모자를 푹 눌러 쓴 여학생도 보이고 내 또래의 남학생도 보였다. 네 명의 조원이 한 자리에 모였고, 내가 사수하려 했던 두 자리 중 중앙은 남학생이 차지했다. 이내 적막만이 가득했다. 기억도 나지 않는 누군가가 "이제 시작해볼까요?"라고 운을 떼기 전까지는 서로 어색한 웃음만을 주고받았을 뿐이었다.

이런 성격 변화가 줄곧 나쁘다고만 생각했다. 새로운 환경에 적응하지 못하는 부적응자. 스스로 그렇게 생각했다. 하지만 글을 쓰다 보니 깨닫게 된 것이 있었다. 부적응자라기에는 나는 분에 맞지 않는 좋은 사람들과 함께하고, 행복한 나날을 보내고 있다. 문득 외로울 때 불러서 밥을 먹을 수 있는 친구도 있고, 심심할 때 전화할 가족도 있다. 3월의 어느 날, 눈에 보이는 곳만 청소한 듯 어수선하면서도 깔끔한 좁은 방 안. 왼쪽과 오른쪽에는 각각 책상과 침대가 데칼코마니처럼 배치되어 있고, 살짝 열려 있는 창문 사이로 쌀쌀한 바람과 함께 오래된 먼지 냄새가 풍기는 기숙사 방에서 한껏 낯을 가리고 있던 내게 먼저 말을 걸어준 친구도 있었다.

내게 일어난 변화에 대해 정확히 알기 위해서는 결국 사랑이라는 것을 정확히 정의해야 한다. 그래서 정의해보려고 한다. 누구나 쉽게 말할 수 있지만, 정확히는 설명할 수 없는 사랑을 말이다.

다짜고짜 사랑에 대해서 설명하려고 하니 감이 오지 않는다. 그래서 나는 내 사랑을 여러 형태로 나눠보려 한다. 사랑의 형태를 내가 사랑하는 사람들 가령 친구, 가족, 그리고 연애 감정까지 셋으로 나눠보는 건 어떨까 싶다. 사랑에 대해 가장 쓰기 싫어했던 사람의 사랑 이야기. 지금부터 시작해보겠다.

우정, 내가 나이기에 그리고 네가 너이기에

"내가 자네를 얼마나 그리워하며 살았는지 아는가, 친구? 살아서도, 죽어서도 자네 친구인 앨리엇." - 당신, 거기 있어줄래요? 中 -

무신경하게 책을 읽던 중학생 시절, 내 눈앞이 갑자기 흐릿해졌다. 코도 조금씩 훌쩍이기 시작했다. 서둘러 손으로 눈물을 닦아보지만, 그 뜨거운 액체가 앨리엇의 마지막 한 마디 위에 떨어져 스며드는 것을 막을 수는 없었다. 학생들이 책을 보러 올 리가 만무했던 점심시간의 도서관, 그 고요한 장소에서 울려 퍼지는 것은 사서 선생님의 타자 소리와 구석에서 작게 들려오는 훌쩍거리는 소리뿐이었다.

얼핏 평범한 연애 소설처럼 보였던 그 책에서, 나는 누구보다 뜨거운 우정을 발견했다. 지하철 사고로 목숨을 잃을 뻔했던 매트와 목숨을 걸고 그를 구해준 앨리엇의 우정은 그 무엇도 갈라놓지 못했다. 나이가 들어 오랫동안 보지 못했던 매트를 추억하며, 삶의 마지막 순간까지 친구를 그리워한 앨리엇의 한 마디가 내게 긴 여운을 줬다. 우정이란 살아서도, 죽어서도 변치 않는 것이구나 싶었다. 처음으로 우정이란 것에 대해 깊게 생각해본 경험이었다.

15살. 지금도 충분히 어리지만, 그 어린 중학생이 정의 내린 우정이란 무엇이었을까? 그 대답은 10년 가까이 지난 지금조차도 잘 모르겠다. 확실한 건 하나 있다. 내 심경과 행동에 확실한 변화가 생겼다는 점이다. 그리고 그 변화란 상대방을 의식하게 되었다는 점이다. 돌아보면 중학생 시절의 나는, 꽤나 외로웠다. 그렇다고 흔히들 말하는 외톨이와는 거리가 멀었다. 항상 좋은 사람들이 곁에 있었다. 다만, 나와는 조금 다른 사람들이었다. 여름방학이 끝났지만 여전히 더웠던 9월의 어느 금요일, 문득 탁구가 하고 싶었다. 주말에는 꼭 탁구를 해야겠다는 생각에 나는 친구들을 모으기 시작했다. 별로 탁구는 하고 싶지 않지만, 단지 나와 친하다는 공통점밖에 없는 4명의 학생들이 함께해주었다. 그렇게 출발한 5명의 탁구 원정대의 종착지는 '금일휴업'이라는 문구가 적힌 탁구장 문 앞이었다.

이왕 만난 김에 밥이라도 같이 먹었으면 좋으련만, 우리는 그 길로 각자 집으로 돌아갔다. 친구들은 주말에 도통 얼굴을 비추지 않는 내가 불러서 나와준 것이지 그날의 컨텐츠 따위에는 별 관심이 없었다. 그 이후로 친구들과 밖에서 별로 어울렸던 기억은 없다. 집으로 돌아가는 친구들의 무표정한 얼굴이 머리를 떠나지 않아서였을까? 아니면 내가 불러 모은 모임이 흐지부지되었던 경험이 부끄러워서였을까? 둘 다 맞다. 하지만 정답은 아니다. 친구들과 내가 다르다는 것을 새삼 깨달았기 때문이다. 나와 함께 보내는, 그 즐거운 시간이 누군가에게는 즐겁지 않을 수도 있겠다는 마음이 들었기 때문이다.

친구들과의 '다름'이 눈에 보이기 시작한 이후로는 모든 인간관계에서 눈치를 보게 되었다. 게임을 좋아했던 친구들과 달리 나는 농구를 좋아했다. 방과 후에 피씨방으로 향했던 친구들과 게임을 아예 하지 않았던 나는 어울리기가 쉽지 않았다. 점심시간에 밥을 혼자 먹었던 것도 아니고, 조별 활동을 할 때 항상 혼자 남았던 것도 아니다. 언제나 나는 집단에 소속되어 있지만, 진정으로 소속감을 느끼진 못했다. 친구들과 내가 다른 것은 너무나도 당연한 것인데. 남들과는 다르다는 사실이 나는 부끄러웠다. 우리의 다름이 눈에 드러나는 것도 아니었다. 피부색이 다른 것도 아니고, 인종이 다른 것도 아니었다. 그저 흥미와 관심사만 조금 달랐을 뿐이었다. 그 누구도 나를 차별하지 않았다. 다만 나 혼자 스스로를 차별했다.

그 날 이후로 누군가와 함께 시간을 보낸다는 것은 내게 스트레스를 안겨주었다. 그 스트레스는 꽤나 오래 지속되었다. 고등학생이 되었고, 이제는 나와 많은 것을 공유하는 친구들이 생겼다. 그럼에도 내게 늘 있었던 걱정이 있었다. 나와 함께하는, 내게는 너무나도 즐거운 그 시간이 상대에게도 즐거울 수 있을까 싶은 걱정이 말이다. 문이 닫힌 탁구장을 멀리하고 집으로 돌아갔을 내 중학교 시절의 친구들처럼 나와의 시간을 귀찮아하지는 않았을까.

"재미없으면 말해. 딴 데 가자.", "재밌냐?", "이거 진짜 안 해도 된다."

이후로 내가 습관처럼 했던 말들이다. 새롭게 만난 친구들이 나와의 시간을 지겨워하진 않을까 싶은 걱정이 늘 함께했다. 내가 보고 싶은 영화를 보러 갔을 때, 영화가 재밌었는지 계속 물어봤고, 내가 고른 식당이 문을 닫았을 때는 너무 초조했다. 그래서 더더욱 노력했다. 아무도 주지 않은 미움을 받지 않으려 노력했고, 함께 있을 때는 눈치도 많이 봤다. 친구들이 가고 싶은 곳, 하고 싶은 것들을 하려고 노력했고, 좋아하려고 노력했다. 내가 가고 싶은 곳들이 생기면 친구들과 가기 전, 남몰래 답사도 했다. 그래서인지 결국, 우려했던 일은 일어나지 않았다. 짧지만 짧지 않았던 10대 시절을 겪은 나는 어느새 성인이 되었고, 인간 관계에 그렇게 많은 스트레스는 받지 않게 되었다.

한가한 주말 오후, 컴퓨터 모니터에는 검은 후드티에 같은 검은색 마스크를 낀 22살 남성의 얼굴이 비쳤다. 함께 온 친구와는 별 대화는 하지 않는다. 그저 지금 게임에 집중할 뿐. 지고 있는 듯 서로를 비난하는 말이 잠깐 오가지만, 그 말속에는 오히려 친근함이 가득했다.

게임이 끝나고 들어온 동네 국밥집에서 우리는 각자의 휴대전화만 보고 있다. 대화는 없지만, 그 순간이 너무나도 편안하다. 밥을 먹고 집으로 돌아가는 길에서, 나는 새삼 편안함을 느낀다.

나이를 많이 먹은 것은 아니지만, 15살의 내게 하고 싶은 말이 있다면 포커스가 잘못 잡혔다는 이야기다. '나를 미워하는 사람이 없었으면 좋겠다'고 항상 생각했던 내게 수고했다는 말과 함께 꼭 그러지 않아도 된다고 말하고 싶다.

나는 사랑받기 위해 무언가가 되려고 했다. 친구들이 좋아하는 무언가. 호감이 가는 사람이 되려 노력했다. 함께 있으면 즐거운 사람이 되려 노력했고, 미움 받지 않는 사람이 되려 노력했다. 나는 나 자신을 조금 바꿔서라도 사랑을 받고 싶었다. 누구도 그러라고 시킨 적이 없었고, 나도 모르는 새에 이미 사랑받고 있는 줄도 모르고 그랬다. 함께 있어서 즐거운 것이 친구가 아니라 친구이기에 편하고, 즐거웠다.

"HO야, 너는 사랑받고 자란 티가 난다."

내가 가장 좋아하고, 존경하는 선배가 내게 해준 말이 기억난다. 나는 상대방만을 신경 쓰다보니, 내게 얼마나 많은 사람들의 사랑이 쌓여있는지 보지 못한 것 같다. 나를 오롯이 나 자신으로 바라봐주는 이들이 있어 내 삶은 행복하다. 그리고 편안하다. 이 세상 모두가 나를 사랑할 수는 없듯, 나 또한 이 세상 모두를 사랑할 수는 없다. 내가 나눠줄 수 있는 사랑의 크기는 무한하지 않다. 나 자신을 바꿔가면서까지 내가 받지도 않은 사랑을 일부러 주려 하지는 않겠다.

이제는 내게 생긴 성격의 변화가 어느 정도 설명이 된다. 이제는 먼저 사랑을 아무에게나 퍼주지 않을 것이다. 나를 오롯이 나 자체만으로 사랑해줄 수 있는, 그런 친구들에게 쓰려고 한다. 환기도 너무 오래 시켜놓으면 추워지고, 더워진다. 당분간은 내 마음의 문을 살짝 닫아 놓으려고 한다. 문은 잠그지 않을 거다. 내 마음은 누구나 들어올 수 있는 곳이니까.

내게 사랑을 많이 받고 자란 티가 난다고 했던 그 사람에게 못 해준 그 대답을 여기에 남기면서 마무리 해야겠다. "내게 사랑이 넘치는 이유는 당신이 내게 준 사랑이 넘치기 때문입니다." 내가 나이기에 나의 모습을 오롯이 사랑해주는 내 '친구'들이 있어 나는 행복하다.

죄송합니다, 사랑합니다.

"나는 내 인생 싫어하지 않아요. 전에 나마저 내 인생 싫어하면 너무 안쓰러워 좋아하려 애썼는데, 이젠 있는 그래도 자연스럽게 좋아졌어요. 좋다고 생각해보면 내 인생이 너무 예뻐보여요. 그래도 아들이 엄마 위해서 선물 주고 싶다니까 받을게요. 지우지는 않을 건데, 떠올릴 때 덜 아프게 주름만 조금 다려주세요." - 메리골드 마음 세탁소 中 -

팬데믹이 막바지에 접어든 어느 여름날, 유난히도 비가 많이 왔던 그해 여름날, 내가 탄 부산행 KTX의 운행 속도를 늦출 만큼이나 많이 왔던 비만큼, 내 얼굴에서도 많은 눈물이 흘렀다.

아들 하나만을 위해 자신의 인생을 바쳐 아들을 위해 힘썼던 엄마, 연자씨. 아들 재하는 잠시 방황했지만, 어머니 연자씨를 위해 재기하였다. 자신의 끔찍한 기억의 옷을 세탁해준 마음 세탁소에 어머니 연자씨를 초대한 재하. 그곳에서 엄마 연자씨는 평생 아들만을 위해 헌신한 자신의 삶을 '예쁘다'고 표현했다. 그러고는 아들의 마음이 덜 아플 수 있도록 기억의 옷을 다려달라고 한다.

많은 사람들의 눈물샘을 자극하는 단어들이 있다. 엄마, 아빠, 그리고 가족. 나에게도 예외는 아니었다. 전역 후 맞이한 첫 학기를 나름 성공적으로 마무리하고 고향으로 향하는 그 기차에서, 짜증날 정도로 내 어머니를 닮은 연자씨의 이야기에 그만 울어 버렸다. 옆 좌석에 앉은 아저씨의 표정이 무안함에 빨개질 정도로 많이.

　가족에 대한 사랑을 쓰려고 했는데, 사랑보다 먼저 떠오르는 감정은 미안함이었다. 어린 시절, 어머니께서는 자주 매를 꺼내셨다. 아버지의 지갑에 손을 댄 날, 어머니께서는 파리채로 내 손바닥을 때리셨다. 밥상에서 누나에게 대들었던 날은, 아버지가 쓰시던 효자손을 가져오셨다. 어떤 매로 맞던, 너무 아팠다. 우리 엄마는 강한 사람이니까.

　몇 대를 맞겠냐는 어머니의 물음에 쭈뼛쭈뼛 열 대라고 대답했다. 차려 자세로 두 손바닥을 편다. 한 대, 두 대…. 어느새 여덟 대를 맞았을 때는 이미 손바닥이 찢어질 듯이 아팠다. 차려는 부동자세인데, 어느새 나는 뜨거워진 손바닥을 맞대고 빌기 시작한다.

　”HO가 열 대 맞겠다고 했지? 약속은 지켜야 하는 거야.“

　어머니의 목소리는 단호했다. 미세한 떨림만이 조금 있었다. 그때는 손바닥이 너무 아파 미처 보지 못했지만, 어머니께서는 울고 계셨던 것 같다. 눈물범벅이 된 아들의 손바닥을 향한 어머니의 아홉 번째, 열 번째 사랑의 매는 훨씬 덜 아팠다. 어머니께서는 매를 다 맞은 나를 꼭 안아주시면서 말씀하셨다. 엄마가 나를 사랑해서 때리는 거라고. 그 말을 들은 나는 더 크게 울었다. 못된 아들을 향한 어머니의 사랑이 나를 부끄럽게 만들었고, 미안하게 만들었다. 그 미안함이 내게는 10대의 매와는 비교도 못 할 정도로 더 아팠다. 그 날 이후로 다시는 아버지의 지갑에 손을 대지 않았고, 누나에게는 대들지 않으려고 노력했다. 미안함과 죄스러움이 나의 행동을 바꿔놓은 셈이다.

미안함이란 감정이 정말 짜증나는 이유는 문득 생각지도 못한 곳에서 갑작스럽게 밀려온다는 점에 있다. 전염병이 한창이던 쌀쌀한 10월의 새벽, 친구들과 밤새 공부를 하고 헤어진 나는 왜인지 모를 허기에 홀린 듯이 주변 해장국집을 찾았다.

새벽에도 자리가 꽤 차 있었다. 자리에 앉아 뼈해장국을 주문하고, 스텐 컵에 물을 따라 마시며 주변을 둘러보았다. 나처럼 새벽 동안 공부를 한 것처럼 보이는 학생들, 새벽까지 어떤 재미있는 데이트를 했는지 피곤해도 기분은 좋아 보이는 커플, 그 너머 보이는 한 사람. 다소 추레한 차림의 50대 남성의 모습이 눈에 띈다. 남성은 설렁탕에 밥을 말아 깍두기까지 올려 야무진 식사를 하고 있었다.

아버지께서도 설렁탕을 좋아하셨다. 어릴 때는 아버지를 따라 자주 밥을 먹으러 갔고, 그때마다 아버지께서는 설렁탕집을 가셨다. 우리가 살던 동네에서 조금 떨어진 번화가 뒤편의 식당 골목, 가족끼리 자주 가던 설렁탕집이 있었다. 그곳은 40대였던 부모님보다는 나이가 조금 더 많으신, 아줌마라기에는 연세가 있으시고 할머니라기에는 젊으신 사장님께서 운영하시던 식당이었다. 가족 네 명이 사이좋게 설렁탕 네 그릇을 시켰다. 5살 남짓 꼬맹이였던 나는 예나 지금이나 식탐이 엄청났다. 식탐에 걸맞는 먹성을 가진 내게, 아버지께서는 꼭 설렁탕 속 소고기를 몇 점 나눠주셨다. 아버지 본인도 고기를 좋아하셨는데 말이다.

시간이 지나 가족끼리 갔던 그 설렁탕집은 문을 닫았다. 7살 터울의 누나는 고등학교를 졸업하고 타지에서 대학교를 다녔다. 고등학생이던 나도 기숙사가 있는 고등학교에 들어가면서, 자연스레 부모님께서는 자식들과 자주 보지 못하게 되었다. 공장일을 하시는 아버지께서도 이제는 다른 곳에서, 혼자 식사를 하시는 일이 잦아졌다.

다시 해장국 집으로 돌아가 보자. 남색 작업복을 위아래로 입은 남성의 차림이 내 아버지를 떠올리게 하기 충분했다. 그 남성뿐만이 아니었다. 식당에서 홀로 밥을 먹는, 특히나 설렁탕을 먹는 50대 아저씨들을 보고 있자면, 나는 참 안쓰러웠다. 아저씨들이 안쓰러운 게 아니었다. 검은색 뚝배기들로 가득했던 내 아버지의 식탁이 어느새 많이 허전해졌을 것이라는 생각이 나를 씁쓸하게 했다. 오늘은 어디서 식사를 하고 계실지, 그 모습을 보고 있는 누군가가 불쌍하게 보진 않을지 걱정이었다. 귀찮다는 핑계로, 배부르다는 핑계로 아버지와 식사도 자주 못했던 기억이 살아났다. 미안해졌다. 허겁지겁 식사를 마치고 계산대를 나서는 남성의 뒷모습을 보며, 이번에 고향에 가면 아버지와 더 자주 함께 밥을 먹으리라 결심했다. 그것이 현실이 될 일은 없었지만. 가족에 대한 미안함은 항상 함께 있을 때는 내 마음속 저편으로 자취를 감춘다.

가족과 줄곧 함께 살았던 16년 동안, 원망도 많이 했다. 누군가에게는 아늑할 수도 있겠지만, 어린 내게는 너무나도 좁았던 집. 그 좁은 집에서 벗어나지 못했던, 내게 작은 방 하나 마련해주지 못했던 아버지를 원망했다. 유아 게임 중독이라는 심리 상담 내용을 듣고, 내가 가장 좋아했던 게임을 아예 못하게 했던 어머니가 미웠던 순간도 있다. 내가 하는 일에 사사건건 참견하고, 사춘기에 접어들어 항상 날카로웠던 누나가 무섭고, 화가 났다.

솔직히 말해 가족은 내가 선택한 게 아니다. 누구를 아버지로 할지, 어머니의 성격은 어떨지, 누나와의 나이 차이는 어떻게 결정할지 내게 아무런 선택권이 없었다. 많은 사람들 중 내가 고르고 고른 사람들과도 안 맞는 부분들이 생기는데, 가족이라고 예외는 아니다. 심했으면 더 심했지. 서로가 안 맞는 것은 어쩌면 당연한 것일지도 모른다. 우리 가족이 함께인 이유는 하나다. 가족이기 때문에.

미안함은 떨어져 있을 때 비로소 머리를 들이민다. 내 이름이 HO가 아닌 162번 훈련병이었던 시절, 휴대전화도 없이 훈련을 받던 그 시절이 내게 큰 계기로 다가온다. 친구들과, 가족들과 동시에 떨어져 있던 그 단절의 순간, 내게 사회와의 연결이 허용된 시간은 일주일에 단 10분만 허용된 전화 시간이었다. 수첩 한 면에 꼬깃꼬깃 써내려 간 전화번호를 눌러 전화를 걸었다. 반복된 신호음 소리만이 가득한 채, 친구는 전화를 받지 못했다. 남은 시간은 9분, 서둘러 다른 친구에게 전화를 걸었다. 가까운 친구는 아니었지만, 군대에 가면 꼭 전화하라고 말해준 친구였다. 친구는 반갑다는, 잘 지내냐는 말과 함께 자신이 일이 있다는 말과 다음에 또 전화하자고 했다.

서운하지는 않았다. 그들에게도 자신의 삶이 있으니까. 다만 씁쓸했다. 당연한 말이지만, 나 없이도 세상은 너무나도 잘 돌아간다는 것을 뼈가 저리도록 느꼈다. 5분을 남겨둔 통화 시간. 나는 서둘러 버튼을 눌렀다. 이번에는 수첩을 보지 않고 전화번호를 눌렀다. 두 번의 신호음 끝에 연결된 수화기 너머에는 나 없이 세상이 돌아가지 않는 사람들이 있었다. 아버지와 어머니는 밥은 잘 나오냐고 물어보셨고, 연휴를 맞아 본가로 내려온 누나는 전염병이 날이 갈수록 심해진다고 했다. 내가 선택하지 않은 사람들과 전화하는 데 보낸 5분의 시간은 내게 큰 위로가 되었다.

　그날 밤, 샤워를 하러 대욕장으로 이동하는 길에 본 논산의 하늘에는 별이 가득했다. 아니 별밖에 없었다. 하늘에 떠 있는 별들을 보며, 별 보기를 좋아한 어머니를 생각했다. 별은 무슨 별이냐며 성질을 내는 아버지를 생각했다. 별을 보기 전에 사진부터 찍는 누나를 생각했다. 문득 미안했다. 미안했던 일들이 하늘에 떠 있는 저 별만큼이나 많이 떠올랐다. 가족들에게 조금 더 살갑게 말할 수 있었을 텐데. 그 때 그 일은 화낼 일이 아니었는데. 내가 같이 했으면 더 쉽게 일이 끝났을 텐데. 그날 밤, 하늘에는 내게서 피어난 미안함의 별들이, 아니 사랑의 별들이 떠 있었다. 별을 좋아하지도 않고 멍하니 하늘을 바라보는 것에도 흥미 없지만, 그날 바라본 하늘과 별은 잊을 수 없다.

　사랑에 대해 쓰려고 했는데, 어느새 미안한 이야기만 잔뜩 나열해버렸다. 근데 그것이 사랑이지 않을까 싶다. 사랑하기 때문에 미안하다. 더 좋은 아들이 되어 주지 못해서, 더 착한 동생이 되어 주지 못해 미안하다. 가족이란 것 빼고는 어느 것 하나 맞는 구석이 없는 사람들이지만, 가족이기 때문에 나는 그들을 사랑한다. 가족이기 때문에. 지금 생각해보니 우리 가족이 함께인 이유로 그 정도면 충분한 것 같다.

불편하면 자세를 고쳐 앉아라

Oh we got all we'll ever need. (우린 더 이상 아무것도 필요 없어)

I think our grass is pretty green, (우린 지금 충분히 행복해)

We make our own luck. (운명은 우리 스스로 만드는 거니까)

No wonder the neighbors are jealous. (이웃들도 당연히 질투하겠지)

We don't cheat on Monopoly. (우린 보드게임을 할 때도 서로를 속이지 않아)

Already won the lottery. (이미 복권에 당첨된 거나 마찬가지인 걸)

Don't need no diamonds. (다이아몬드는 필요 없어)

You're my rock. (네가 내 보석이야)

And I'm okay with a Ring Pop. (나는 사탕 반지면 충분해)

- Ring Pop 中 -

낭만적인 가사다. 이 노래의 주인공은 프러포즈로 사탕 반지를 받은 것으로 보인다. 다소 기분이 나쁜 일이 될 수도 있겠으나, 그녀는 매우 행복하다. 서로가 있기에, 이미 서로 상대방이라는 복권에 당첨됐기에 행복하다. 어쩌면 그들은 매일 똑같은 사람과 똑같은 일상을 보내야 할지도 모른다. 평범한 사람들처럼. 그렇게 연애하고, 사랑한다. 그렇기에 그들의 관계는 특별하다.

그대는 운명을 믿는가? 나의 대답은 언제나 Yes였다. 서로가 아니면 절대로 맞지 않는 퍼즐 조각처럼 딱 들어맞는 사람과 만나서 행복하게 살 수 있을 것이라고 생각했다. 마치 노래의 가사처럼. 그래서 그 대상을 찾았냐고? 나의 대답은 언제나 No다.

누군가를 열렬히 좋아해 보지 않는 것은 아니다. 연애 경험이 없는 것도 아니다. 다만, 내가 겪어온 사랑은 많이 어리다. 어리기에 순수하다. 순수하기에 풋풋하다. 하지만 풋풋함과 동시에 미성숙하다.

초등학교에 다니던 시절, 2분단 맨 앞자리에 앉은 같은 반 여학생을 뚫어져라 쳐다본 기억이 있다. 별로 친하지는 않았는데, 학교에서는 예쁘기로 유명한 여학생이었다. 내 시선을 느꼈는지, 다른 이유가 있었는지는 모르겠지만 그녀가 고개를 돌려 3분단 맨 뒷줄의 나를 쳐다봤다. 어른이 된 지금 생각해보면 자연스럽게 눈동자만 돌려 다른 곳을 응시했으면 되었을 텐데. 당황한 나는 황급히 고개를 숙여 교과서를 쳐다봤다. 그때는 잘 몰랐지만, 지금 다시 생각해보니 그 여학생을 꽤나 맘에 들어 했던 것 같다. 별다른 대화조차 나눠보지 않았다. 그냥 예뻐서 좋아했는지도 모르겠다.

학기가 시작되고 얼마 지나지 않은 3월 초, 14일에 있을 화이트데이를 얼마 남겨두지 않은 상황이었다. 영어 학원 수업을 마치고 퇴근하는 어머니를 기다리는 동안, 나는 학원 건물 옆 대형마트에 혼자 들어갔다. 그리곤 충동적으로 과자 코너로 향했다. 그곳에서 초등학생에게는 고가의 만 원짜리 초콜릿을 하나 샀다. 어른만큼 큰 내 손에도 꽤 크게 느껴질 크기의 초콜릿이었다. 어머니가 오시기 전에 나는 허겁지겁 그 초콜릿을 가방 속에 넣었다. 가방은 당장이라도 튀어나올 것같은 내 심장만큼이나 빵빵하게 부풀어 올랐다.

나는 과연 초콜릿을 전달하는 데 성공했을까? 다른 정황은 이렇게나 상세히 기억이 나는데, 초콜릿을 준 기억은 없다. 아마도 그 상황이 뒤돌아 봤을 때는 꽤나 쑥스럽고 부끄러웠기 때문이 아닐까 싶다. 하지만 추측하건데, 분명히 줬을 거다. 다만, 좋은 결과는 없었던 것이 확실하다.

누군가가 이 이야기를 들으면, 어린 시절의 나를 귀여워할지도 모르겠다. 이성에 대해 잘 모르는 어린 시절의 사랑은 그렇게 단순하고, 순수하다. 사랑이라고 하기에도 좀 부끄럽다. 그냥 감정의 흔들림. 심장이 뛰고, 설레는 마음이 전부였다. 그때는 그 정도면 충분했다. 수업 시간에 옆자리에 앉아서 노트 한 권을 사이에 두고 소리 없이 시끄럽게 떠들었고, 둘이서 함께 먹는 급식은 어떤 식당의 고급 요리보다도 맛있었다. 별로 대단한 데이트를 하지 않더라도, 둘이서 하염없이 밤길을 걸어도 행복했다.

여기까지는 내가 돌아본 사랑, 그중에서도 연애 감정의 낭만적인 점이었다. 다만 연애 감정은, 또 연애 감정이 결실을 맺은 연애는 낭만적인 것만은 아니다. 낭만이 현실을 만났을 때 그 낭만이 어떤 형태로서 내 곁에 남아있는가? 나와 함께하는 사람이, 이 사람과의 관계가 내 기대에 어긋나기 시작했을 때 나는 어떤 행동을할 것인가? 느낌표뿐이었던 사랑은 시간이 지남에 따라 물음표로가득해졌다.

뒤돌아보면 나는 누군가에게 관심을 갖고 그 사람과 가까워지는 과정을 참 좋아했다. 처음 사람들과 함께 있는 그 사람을 보았을 때의 묘한 떨림, 다 같이 모여 이야기를 나누는 술자리에서 구석에 혼자 앉아 복스럽게 안주를 먹던 모습, 내가 말을 걸자 황급히 입을 가리며 대답을 할 때 검지 손가락에 끼워져 있던 작은 은색 반지도 기억에 남는다. 그 사람과 처음 만난 이후로, 꽤 자주 그사람을 생각했다. 일상 생활이 불가능한 정도는 아니었다. 그냥 일상을 살다가 드문드문, 그 사람이 생각났다. 지금쯤 그 사람도 밥을 먹겠지. 저 가게에서 파는 키링은 그 사람과 닮았구나. 만약에, 정말 만약에 그 사람과 만난다면 선물해 줘야지.

나는 2주 동안 그 사람에게 연락도 못 해봤다. 뭔가 뜬금없어보이기도 했고, 무엇보다 자신이 없었다. 나 같은 사람이 연락을해봐야 별로 달갑지 않을 것 같았다. 아니, 사실 거짓말이다. 그저내 상상 속 그 사람의 모습과 실제 모습이 다를까 봐 두려웠다. 유명 연예인의 팬이 그를 직접 만나 대면하면서 점차 환상이 깨지듯, 나 또한 상대에 대한 환상에 사로잡혀 있었다. 연락을 하고 싶은 마음과 하고 싶지 않은 마음이 2주 동안 전쟁을 벌였다.

고심 끝에 그녀에게 연락해 결국 만나기로 했다. 만나보니 그 사람은 역시나 내 생각과는 많이 다른 사람이었다. 얌전하고, 조용해 보였던 그녀는 생각보다 활발하고, 말수도 많았다. 감성적일 것이라는 예상과 달리 현실적인 사람이었고, 무엇보다 내게 그다지 관심은 없었다. 상대에 대한 환상이 깨졌다. 내 환상과는 다른 그 사람도 충분히 매력적인 사람이었다. 다만 내 생각과는 많이 달랐을 뿐.

결국 그 사람과는 별일 없이 지나갔다. 나는 그 사람을 많이 좋아했고, 많이 표현했다. 그 사람은 내게 참 좋은 사람이라고 말해줬다. 다만 관심이 없었을 뿐이었다.

그렇게 좋아한다고 생각했던 상대에게 거절당했는데, 사실 기분이 별로 안 좋지는 않았다. 사실 별로 아쉽지도 않았다. 그 이유는 명확했다. 좋아한다고 하긴 했지만, 그녀가 내 환상과는 다르다는 사실을 너무나도 잘 알고 있었다. 그리고 나는 그 다름을 굳이 바꿔보려고 하지 않았다. 바꾸고 싶지 않았다. 가령 이 사람과의 관계뿐만이 아니었다. 나는 예전부터 관계에 있어 방어적이었다.

몇 년 전 만났던 여자친구와의 이야기다.

"너 변했어."

독서실에서 공부를 마치고 집으로 들어가는 길, 여름의 더위가 밤의 한기와 만나 덥지도 춥지도 않은 묘한 새벽길에서 나는 발걸음을 멈췄다. 여자친구는 갑자기 내게 변했다고 했다. 왜냐고 묻는 내게, 이유는 잘 모르겠다고 했다. 근데 확실히 변한 것 같다고 했다. 갑자기 짜증이 났다. 잘만 만나고 있었는데. 내 생각대로, 내가 꿈꿨던 대로 잘만 만나고 있었는데 갑자기 무슨 변화 타령을 하는지 도무지 이해가 가지 않았다. 내가 생각한 대로 관계가 이루어지지 않자 문득 그 사람이 미워졌다. 변했다는 말이 맞았는지 틀렸는지는 알 수 없으나, 그 말을 듣고 난 뒤의 나는 확실히 변했다.

　　연인끼리 다툼이 있을 때 최악의 연애 상대는 바로 회피형 인간이다. 문제를 해결하려 하지 않는다. 그저 당면한 문제만 피하면 된다는 사고방식이다. 그게 나다. 변했다는 말을 들은 그 날 이후로 우리는 자주 다퉜다. 나는 너무나도 많은 것을 함께 하고 싶어 하는 그녀에게 지쳐갔고, 그녀를 더욱 피했다. 그녀는 그런 나와 만나면서 더욱 외로워했다. 그즈음부터 나는 우리의 관계가 끝을 향하고 있음을 직감했던 것 같다. 어떻게든 나에게 맞춰주고, 배려해주던 그녀를 뒤로 하고 혼자 마음 정리를 시작했다.

　　돌아보면 여자친구에게 나는 정말 못된 사람이었다. 나에게 집착하는 그녀의 모습이 너무 질렸다. 그 사람이 나와 함께하려고 하면 할수록 더 피했다. 주변에서는 내가 나쁘다고 했다. 미안하지도 않냐고. 물론 티는 내지 않았으나, 당시 내게 미안한 마음은 거의 없었다. 원인 제공은 내가 아닌 상대가 했는데 내가 왜 미안해야 하나 싶었다.

사실 이 글을 처음 쓸 때도 연애 감정이란 것을 정확히 정의할 수 없었다. 몇 번이나 글을 썼다가 지웠다. 그렇게 내가 겪어온 여러 관계들을 다시 생각해볼 수 있었다. 이를 통해 깨달은 점이 하나 있다면, 나는 그 누구도 사랑하지 않았다는 점이다.

　"그거 봐, 언니. 흔히 우리 여자들이 사랑하는 것은 남자가 아니라 사랑 그 자체야. 그날 밤 언니의 진짜 애인은 달빛이었어." - 달빛 中 -

　모파상의 <달빛> 속 레토레 부인은 남편의 태도에 감정이 상했다. 상심한 마음을 달래고자 레토레 부인은 그날 밤 호숫가로 잠시 산책을 떠났고, 그곳에서 젊은 변호사를 만나 사랑에 빠졌다. 다만, 그날 이후 그 변호사와는 얼굴을 보지 못했다. 자신의 사랑을 그리워하는 언니에게 동생 루베르 부인은 그녀가 사랑한 것이 그 변호사가 아닌 호숫가를 은은하게 밝혀주는 아름다운 달빛이었다는 사실을 알려준다.

　내게 환상이란 달빛과 같다. 매번 다른 사람을 사랑했지만, 사랑한 줄 알았지만, 결국 내가 사랑했던 것 단 하나였다. 내 마음은 호수요, 그리고 내가 사랑한 것은 호숫가를 은은하게 밝혀준 환상과 판타지라는 달빛이었다.

　손가락 지문부터, 좋아하는 노래, 취미, 가정환경이나 꿈에 이르기까지 우리는 너무나도 다르다. 세상에 똑같은 사람은 없다. 나의 운명적 상대방, 퍼즐이 맞아 들어가듯 딱 맞는 사람은 없었다. 나의 기대를, 내 판타지를 100% 채워줄 수 있는 사람은 없다. 하지만 나는 내 환상을 채워줄 수 있는 사람이 있을 것이라 믿었고,

어쩌면 지금도 믿고 있을지도 모르겠다.

　이제 다시 사랑, 그리고 연애 감정에 대해 이야기해보겠다. 우정과 가족애에 대해 쓰면서 내가 느낀 점은 사랑이란 혼자 하는 것이 아니라는 점이었다. 사랑이란 쌍방이다. 내가 사랑하는 친구들, 가족들 모두 나를 사랑한다. 연애 감정도 별반 다를 것 없다. 내가 상대를 사랑하고, 상대도 나를 사랑한다. 그리고 사랑하기에 상대를 더 신경 쓴다. 때로는 상대를 위해 희생하기도 한다. 가족과 싸웠을 때는 먼저 사과하기도 했고, 밤새 시험공부를 하는 친구를 위해 함께 밤을 새기도 했다. 잘했던 것보다는 못 해준 것들만 기억에 남고, 다음에는 꼭 잘해주리라 다짐했다.

　내 연애 감정은 사랑이 아니었다. 나는 그동안 혼자서 관계를 만들었다. 혼자서 시나리오를 쓰고, 드라마를 찍었다. 그저 상대와의 관계에 대해 환상을 갖고, 연인에 대해 환상을 갖고 살아왔다. 물론 환상을 갖고 사는 것이 나쁜 것은 아닐 수도 있다. 앞서 말했듯, 누구나 마음속에 그런 로망 하나씩은 갖고 살지 않는가?

　다만 스스로의 환상과 판타지에 대한 시선이 그리 곱지 못한 이유는 그것을 소중한 사람에게 투영해 상처를 줬다는 점 때문이다. 관계에 대한 기대, 환상은 모두 가질 수 있는 것이다. 다만 나의 환상이 상대의 것과 다름을 깨달았을 때, 이를 맞춰보려고 해야 한다. 사랑을 떠나 적어도 상대를 존중한다고 말할 수 있으려면 말이다. 나는 그렇게 하지 않았고, 오히려 다름을 맞춰보기 위해 노력하던 소중한 사람의 말을 무시하고, 회피했다. 내가 가졌던 감정은 연애 감정이 아닌, 새로운 사람에 대한 호기심과 떨림이었다.

이제 글 서두에서 언급한 질문을 다시 던져보겠다. 그대는 운명을 믿는가? 나의 대답은 Yes다. 다만 우리의 운명이 나 개인의 환상과는 다르다는 것을 깨닫게 되었다. 상대를 존중하고, 배려하는 마음이 우선되어야 한다는 점을 깨닫게 되었다. 그렇기에 연애는 불편하다. 해야 할 것들이 너무 많다. 연애는 나 혼자 하는 것이 아니기 때문이다. 때로는 괴롭기도 하다. 나 자신이 오랫동안 해왔던 습관들, 생각들을 바꿔야 할 수도 있다. 서로 다른 삶을 살아온 두 명의 사람이 함께 관계를 만들어 나간다는 것은 참 불편한 것 같다.

연인과 만나고 있으면, 설레고 떨린다. 하지만, 설렘과 떨림은 오래 가지 않는다. 그렇기에 이런 감정을 사랑이라고 부를 수는 없는 것 같다. 나를 위해 네가, 너를 위해 내가 기꺼이 배려하고 희생할 수 있는 관계, 그리고 그런 감정이 연애와 연애 감정이 아닐까 싶다.

지금보다도 철이 없었던 어린 시절, 혹시라도 나를 진심으로 사랑해준 사람이 있다면 정말 감사한 일이며, 이 글을 빌려 정말 감사했고 미안하다고 말하고 싶다.

마무리하며

지금까지 나의 사랑을 우정, 가족애, 그리고 연애 감정으로 나누어 정리해보았다. 친구와의 우정은 나를 오롯이 나 자신으로 존재할 수 있게 만들어주고, 가족에 대한 사랑은 내 행동을 반성하고 스스로 더 나은 사람이 될 수 있도록 해준다. 그리고 연애 감정은 상대방을 위해 기꺼이 나 자신을 희생할 수 있도록 바꿔주는 것 같다.

다만 사랑에 대해서 나누어 설명하려 노력하면서 더욱 뼈저리게 느꼈던 점은 이 사랑들이 나뉘어 나타나지 않는다는 점이었다. 우정, 가족애, 연애 감정으로 애써 이름 붙였지만, 결국 이 감정들 모두 사랑이었다. 가족에게 느꼈던 미안함을 친구와 연인에게도 느낄 수 있었고, 친구나 가족을 위해 스스로를 기꺼이 희생할 수도 있었다. 각기 다른 사람들을 다른 방식으로 사랑한 줄 알았지만, 결국 내가 그들에게 준 사랑의 형태는 하나였다.

20대 중반. 사랑에 대해 이야기하기에는 너무나도 어린 나이다. 누군가에게는 내가 정의한 사랑에 공감이 가지 않을 수도 있겠다. 사랑이 내게 주는 좋은 영향만큼이나 크나큰 상처를 가져다줄 수 있기 때문이다. 혹자는 사랑하는 사람을 잃어본 기억도 있을 것이고, 사랑하는 사람에게 배신당한 기억 혹은 배신해본 기억이 있을지도 모른다. 내가 그들의 경험을 다 헤아릴 수는 없겠지만, 사랑하는 사람과의 이별, 배신은 사랑의 좋은 영향만큼이나 큰 좌절을 안겨줄 것이다. 그 좌절은 너무나도 커서 극복하기 힘들 수도 있겠다.

"푸에르타를 위해"

스페인의 유명 축구선수 세르히오 라모스에게는 푸에르타라는 동갑내기 축구선수 친구가 있었다. 함께 축구를 해왔기에, 누구보다 서로를 아꼈던 그들에게 이른 이별의 시간이 찾아왔다. 푸에르타가 심장마비로 인한 뇌 손상으로 22세의 나이로 세상을 떠난 것. 이때부터 라모스는 평생의 친구 푸에르타의 국가대표 등번호 15번을 자신의 등에 달고 뛰었다. 자신이 누구보다 사랑했던 친구와 함께한 커리어 동안, 그는 누구도 범접할 수 없는 업적을 남긴 위대한 축구선수가 되었다. 사랑하는 이를 잃었지만, 좌절하지 않고 일어섰다. 그 과정이 그를 더 단단하게 해주었다.

어른이 된다는 것은 자신의 행동에 책임을 질 수 있어야 한다는 것을 뜻한다. 자신의 사랑이 내게 시련을, 좌절을 준다면 이를 이겨낼 수 있는 사람이 진정으로 어른이라고 할 수 있다. 그런 관점에서 보면 나는 아직 어른이 아니다. 법적으로는 성인이 되었을지 모르지만, 아직 나는 너무나도 어린 것 같다.

내가 겪은 사랑들은 하나같이 모두 좋은 기억들로 남아있다. 사랑하는 사람을 잃어본 기억도 없고, 크게 배신당한 기억도 없다. 내게 사랑이란 아직 순수하다. 나쁘다고 생각하진 않는다. 사랑에 상처받지 않는 순수한 사랑을 할 수 있다는 것은 큰 특권이니까. 그리고 난 이 순수한 사랑을 기록으로 남겨놓고자 한다. 언젠가 사랑이 내게 큰 시련을 내렸을 때, 순수했던 내 사랑을 추억하며 다시 일어날 수 있도록. 언젠가 사랑이 내게 큰 행복을 가져왔을 때, 나를 행복하게 해준 모든 사람들에게 더 감사할 수 있도록.

이제 짧았던 사랑 이야기를 마무리하려고 한다. 이러쿵저러쿵 떠들어댔지만, 여전히 사랑이란 어려운 주제다. 나이가 들어 더 많은 사람들을 사랑하게 되었을 때쯤은 사랑이 무엇인지 알 수 있을지 궁금하다. 너무나 진부한 말이지만, 그때까지 더 열렬히 사랑하고, 더 열렬히 사랑 받는 사람이 되도록 최선을 다하고 싶다.

그래서 어느 날

펴낸날 | 2024년 6월 17일
지은이 | 기은범 김경화 김도희 레모 류현선 박선순 이지원 정원경 지소윤 HO
펴낸이 | 임우근
펴낸곳 | 글로서기
출판등록 | 2023년 5월 17일(제2023-000166호)
주소 | 서울시 강남구 논현로 97길 19-1, 1층 (역삼동)
홈페이지 | geulroseogi.co.kr

ISBN 979-11-94157-00-7